Brân
i bob Brân

Rowan Coleman

Addasiad
Dafydd a Mandi Morse

Gomer

Cyhoeddwyd yn wreiddiol yn Saesneg
gan Arrow, 2006

Argraffiad Cymraeg cyntaf – 2006

ISBN 1 84323 721 0
ISBN-13 9781843237211

Mae'r cynllun Stori Sydyn yn fenter ar y cyd rhwng yr Asiantaeth
Sgiliau Sylfaenol a Chyngor Llyfrau Cymru. Ariennir y llyfrau gan yr
Asiantaeth Sgiliau Sylfaenol fel rhan o Strategaeth Genedlaethol
Sgiliau Sylfaenol Cymru ar ran Llywodraeth Cynulliad Cymru.

CCBC
329566

Argraffwyd yng Nghymru gan
Wasg Gomer, Llandysul, Ceredigion

Pennod 1

'Chi'n jocan,' dywedais. Ro'n i o ddifri. 'Gobeithio mai blydi jôc yw hyn.' Syllodd Siw a Nia ar ei gilydd ar draws y bwrdd bwyd yn y ffreutur.

'Pam fydden i'n jocan?' holodd Siw gan bwyso nôl yn ei chadair a chwilio ym mhoced ei siaced am ei ffags. Winciodd ar Nia.

'Ydw i'n edrych fel 'sen i'n jocan?'

'Na!' atebodd Nia a chwerthin ar yr un pryd. 'Dy'n ni ddim yn jocan. Wir nawr Gwen, mae *blind date* 'da ti heno! Yn y Llew Du – heno am saith. Wel, shwt ti'n teimlo? Ti'n *excited*?'

Gwichiodd Nia a bownsio lan a lawr yn ei chadair. Mae Nia'n mynd yn *excited* iawn am bopeth. Does dim plant 'da hi, dyna pam. Byddai'n rhy flinedig i fod yn *excited* 'se plant 'da hi. Ro'n i wedi cael llond bola.

'Dy'ch chi *ddim* wedi trefnu *blind date* i fi,' dywedais yn flin ac edrych ar Siw. Ro'n i'n trio dangos iddi pa mor grac o'n i. Ond does dim ofn dim ar Siw. Pwysodd ei gên nôl mor bell ag y gallai a chwythu mwg i'r awyr. Roedd hi'n gwybod bod gormod o fwg yn gwneud i fi estyn am y pwmp anadlu glas. Roedd yn amlwg ei bod wedi anghofio bod gormod o gynnwrf yn cael yr un effaith arna i.

'Bydd e'n grêt,' dywedodd wrth iddi bwyso ymlaen a gwasgu stwmpyn ei ffag yn y blwch llwch. 'Ydw i erioed wedi dy siomi di?'

Rhaid i fi gyfaddef bod Siw wedi bod yn ffrind da i fi o'r diwrnod cyntaf i ni gwrdd yn yr ysgol. Hi oedd fy ffrind gorau, drwy ddŵr a thân. Trwy dân gan amlaf. A dyna pam y dylai hi wybod gymaint y byddwn yn casáu *blind date*.

Edrychodd Siw ar y cloc ar wal y ffreutur. 'Dere, siapa hi, mae amser coffi bron ar ben ac mae'n rhaid i fi fynd nôl. Mae Patsi Pwds wedi gofyn i fi ail-stoco silffoedd pethau menwod cyn cinio. 'Na lwcus, yntefe. Bore cyfan o staco tampons.' Dechreuodd Nia a Siw godi ond arhosais i yno. Ro'n i'n dal i eistedd ac yn syllu arni. Eisteddodd i lawr eto.

'Drycha,' dywedodd a dechrau sylweddoli mod i ddim yn hapus iawn. 'Gei di yffach o sbort. Bydd rhaid i ti wisgo'n secsi ac wedyn fe fydd ei law e'n ei boced drwy'r nos yn prynu faint fynnot ti o ddiod. Yna, os nag wyt ti'n ei ffansïo fe, gallet ti adael. Ocê?'

'Ond nos Wener yw hi,' dywedais. 'Ein noson *ni*. Noson y merched.'

Bob nos Wener byddai Siw, Nia a finne yn mynd lawr i'r Llew Du erbyn saith. Cwpwl o *Bacardi Breezers* i dwymo lan cyn i'r disgo ddechrau. Hen ddisgo twp oedd e, ac yn hollol naff. Ond roedd y tair ohonon ni'n cael tipyn o hwyl. Dim ond ni'n tair. Noson i'r merched oedd hi. Dim ond merched. Doedd Nia ddim yn dod â'i gŵr gyda hi a doedd Siw ddim yn hel dynion. Ac ro'n ni wastad, wastad yn gwisgo'n grand, fel tair caseg sioe, yn union fel 'sen ni'n mynd i ryw glwb nos posh yng Nghaerdydd, yn lle i'r dafarn leol. Nia, yn dal ac yn denau gyda'i chyrls blond yn dwmpath ar dop ei phen, yn dalach o lawer nag unrhyw ddyn oedd am fentro'i lwc gyda hi. Siw, yn siapus iawn yn ei ffrog dynn. A finne, ar y llaw arall, yn hollol ddi siâp, gwallt brown plaen a llygaid llwyd plaen, ond wastad yn edrych yn eitha da o gymharu â rhai.

Ond nawr roedd Siw wedi dod â dyn i ganol y pwdin. Ro'n i braidd yn siomedig, yn teimlo fel pe bai hi'n ceisio cael gwared ohono i. Hen syniad dwl oedd e, dwi'n gwybod, ond dwi'n cael rhyw syniadau dwl fel'ny ambell waith. Wedi'u cael nhw ers yn blentyn. A dwi'n iawn weithiau hefyd.

'Byddwn ni 'na hefyd,' dywedodd Nia. 'Er mwyn cadw golwg ar bethe.'

'Byddwch chi'n pisho'ch hunain yn chwerthin, ti'n feddwl,' dywedais, gan ddechrau teimlo'n bryderus. Rhoddais fy llaw ym mhoced fy nhrowsus er mwyn gwneud yn siŵr bod fy mhwmp anadlu yno, rhag ofn. Doedd dim pwmp yno, dim ond darn o bapur wedi'i blygu'n fach. Rhois fy mysedd o'i gwmpas a dweud, 'Siw, dwi'n 'nabod pob dyn rwyt ti'n 'nabod. Fyddet ti byth yn mynd mas 'da nhw – felly pam dylwn i?'

Pwysodd Siw dros y bwrdd a rhoi ei llaw ar fy un i. Roedd hi'n oer. 'Dwylo oer, calon gynnes,' dyna ei geiriau hi bob tro. A'r rhan fwyaf o'r amser, roedd hi'n dweud y gwir.

'Fe fyddwn ni 'na i gadw golwg arnat ti, y dwpsen,' dywedodd, gan wenu arna i. 'Dy'n ni ddim eisie i ti fynd i fwy o drwbwl, odyn ni? Byddwn ni'n dwy fel dau *bodyguard* i ti. Fyddi di ddim yn gwybod ein bod ni 'na. Ond os bydd unrhyw beth yn digwydd, wedyn, byddwn ni 'da ti fel bollt! Pow! Pow!' Bwrodd Siw ei llaw yn yr awyr. Ond ysgydwais i fy mhen.

'Na,' dywedais. 'Drycha, bydd raid i ti ffonio'r boi 'ma a dweud taw na yw'r ateb. Iawn? Sa i'n mynd ar *blind date*!' Eisteddais nôl yn y gadair a chroesi fy mreichiau. 'Mae *blind dates* ar gyfer pobl pathetig, *sad bastards* sy'n ffaelu cwrdd â rhywun mewn ffordd normal.'

Chwerthin wnaeth Siw a Nia. Ac roedd e'n eitha doniol, rhaid cytuno. Dechreuais deimlo gwên yn codi ar gornel fy ngheg, ond do'n i ddim yn mynd i wenu. Ro'n i eisiau i Siw a Nia ddeall mod i wir yn grac.

'Felly dyw dêt ar y We ddim fel *blind date*, te?' gofynnodd Nia, yn dal i wenu.

'Na,' dywedais, gan rowlio fy llygaid yn union fel y bydd Beth, fy merch fach i, yn gwneud. 'Chi'n gwybod tipyn am y person cyn cwrdd â nhw ac maen nhw'n gwybod tipyn amdanoch chi. A hefyd chi wedi gweld llun.'

'Ie, ond llun pwy!' dywedodd Siw'n uchel, a bwrw'i llaw ar y bwrdd. Roedd Nia a hithau'n chwerthin unwaith eto.

'Chi'n gwybod beth?' dywedais, yn llai crac erbyn hyn. 'Mae pawb yn meddwl bod hyn yn yffach o jôc – trio ffeindio sboner i fi. Mae pawb ond fi'n meddwl bod hyn yn ddoniol tu hwnt.'

'Beth oedd ei enw fe 'to, ti'n gwbod, yr un anfonodd lun o rywun arall?' gofynnodd Siw, rhwng pyliau o chwerthin.

'Dai. A dim llun rhywun arall oedd e – ei lun e 'i hunan oedd e,' dywedais gan ddechrau teimlo'r chwerthin yn codi. 'Wedi'i dynnu ugain mlynedd yn ôl, 'na i gyd.'

A dechreuodd y tair ohonon ni chwerthin yn ddwl.

Dyn eitha neis, ond nid yr un i fi.

Cerddais i mewn i'r bar. Bar gwin ynghanol y dre oedd e. Dywedodd Beth y dylwn i wisgo sgert a chodi 'ngwallt. Mae 'ngwallt i'n reit denau a rhoiais i lond tun o lacer arno i gadw'r cyfan yn ei le. Ro'n i'n teimlo fel 'se pad *Brillo* am fy mhen. Ro'n i'n cerdded fel 'sen i wedi llyncu polyn.

Roedd llun Dai yn y bag. Syniad Beth oedd ei brintio fe. O dan y llun roedd hi wedi ysgrifennu jôc allan o'r llyfr *Jôcs, Jôcs, a Mwy o Jôcs*. Doedd hi ddim wir yn meddwl eu bod nhw'n ddoniol, ond byddai'n eu darllen yn uchel i fi fel bod y ddwy ohonon ni'n chwerthin am eu bod nhw mor wael. Roedd hi wedi dechrau ysgrifennu ambell un ar ddarn o bapur. Ro'n i'n dod o hyd iddyn nhw mewn llefydd annisgwyl, fel yn fy mhwrs neu yn y drôr nicyrs.

Ceffyl yn cerdded mewn i'r bar a'r barman yn gofyn, 'pam mae dy wyneb di mor hir?'

Gwenais wrth ddarllen y jôc. Doedd hi ddim yn ddoniol, ond am fod Beth eisiau i fi chwerthin fe deimlais i'n well yn syth.

Roedd y ddwy ohonon ni'n meddwl bod wyneb Dai yn edrych yn neis. Dyn digon neis a'r dêt cyntaf i fi ers wyth mlynedd, bron. Llygaid yn dawnsio, gwên gyfeillgar a phen o wallt tywyll, cryf.

Ces i drafferth i'w nabod e achos roedd y
gwallt bron i gyd wedi diflannu. Roedd y
llygaid hefyd yn hen. Ac roedd o leia tair gên
yn fwy o dan y wên gyfeillgar nag oedd yn y
llun.

'Gwenfair!' dywedodd wrth gerdded tuag ata
i ac estyn ei law. Ysgydwodd fy llaw mor galed
nes i'r bloneg ar dop fy mraich siglo dros y lle i
gyd. 'Ry'ch chi'n edrych yn union fel eich
llun. Pert iawn.' Gwenais, ond do'n i ddim yn
gwybod beth i ddweud. Roedd e fel edrych ar
'nhad.

Gwell i ti yfed gwin, meddyliais, gan fy mod
i mewn bar gwin. Roedd e'n blasu'n sur ac
roedd fy ngheg i'n mynd yn sychach gyda
phob llwnc. Roedd y ddau ohonon ni'n
eistedd ar gadeiriau o gwmpas rhyw fwrdd
uchel a nawr ac yn y man byddai e'n llithro o'i
gadair.

Siaradodd e, ac fe wrandewais i. Ar y dechrau
ro'n i'n meddwl ei fod yn eitha doniol a thrist.
Dyn doniol, trist oedd yn ceisio twyllo
menywod i fynd mas gyda fe trwy ddefnyddio
hen lun – llun ohono pan oedd e'n ifanc. Ond
dechreuais i wrando ar ei sgwrs, a sylweddoli
nad oedd unrhyw beth yn bod arno fe. Roedd
e'n ddyn neis; dyn neis, unig. Ro'n i'n ei hoffi
fe. Ro'n i hyd yn oed wedi penderfynu peidio

bod yn greulon. Byddwn i'n cytuno cwrdd ag e eto ac wedyn yn ei ffonio gydag esgus da iawn. Mod i wedi marw neu rywbeth.

Nawr ac yn y man rhoddai ei law drom, boeth ar fy un i. Byddai'n rhaid i mi wagio 'ngwydr gwin er mwyn dianc o'i law wlyb. Ond doedd e ddim fel petai'n ceisio teimlo fy mronnau i. Eisiau cael cwtsh gyda rhywun – dyna i gyd. Ro'n i'n gwybod sut roedd e'n teimlo.

'Ti'n gwrando'n dda, Gwenfair,' dywedodd yn sydyn ac roedd dagrau yn ei lygaid. 'Dwi wir yn lico ti. Ti'n yffach o bishyn. Sori. Ddylwn i ddim fod wedi trefnu cwrdd â ti. Ddylwn i ddim fod wedi dod 'ma o gwbwl.'

''Na beth od,' dywedais, yn ysgafn. ''Na'n union beth ro'n i'n ei feddwl.'

'Alla i ddim dy garu di, Gwen,' dywedodd.

'Sdim ots,' dywedais. Ond wrandawodd e ddim.

'Na, na – paid â cheisio fy mherswadio i fel arall. Dim cariad fydde fe rhwng y ddau ohonon ni, ti'n gweld. Dim ond secs, a ti'n haeddu gwell. Yn haeddu mwy na chwant anifeilaidd.' Roedd y tair gên yn siglo wrth iddo gynhyrfu.

'Diolch,' dywedais. Cymerais lwnc anferth o'r gwin heb fecso dim am y blas.

'Nid dy fai di yw e,' dywedodd. 'Fi yw e. Dwi'n ei charu hi o hyd, ti'n gweld. Dwi'n ei charu hi o hyd. Alla i ddim anghofio amdani hi. Dwi wedi trio! Myn yffarn i, dwi wedi trio! Peth rhyfedd yw cariad cynta, yntefe?'

Nodiais fy mhen.

'Ti'n ferch hyfryd, Gwenfair,' dywedodd. 'A dyna pam mae'n rhaid i fi fod yn onest 'da ti. Dyw pethe ddim yn mynd i weithio rhyngon ni. Sori.'

A dyna sut ces i fy ngwrthod ar y dêt cynta ar y We gan ddyn ddwywaith fy oedran a heb fawr o wallt. Roedd y dêt drosodd mewn llai nag awr.

Digon yw digon. Digon i beidio mynd mas gyda dyn byth eto! Ond doedd gen i mo'r dewis. Roedd popeth yn nwylo Beth.

Pennod 2

Syniad Beth oedd rhoi fy enw i'r asiantaeth dêt ar y We ryw chwe mis yn ôl. Fyddwn i erioed wedi meddwl ymuno ag unrhyw beth o'r fath ond, i Beth, roedd yr holl beth mor normal ag anadlu.

'Dwi'n ddeuddeg, Mam,' dywedodd. 'Bydda i wedi tyfu lan cyn i ti droi rownd. Mae'n rhaid i ti gael sboner tra bo ti'n dene.' Dechreuais ddweud wrthi am anghofio'r nonsens 'ma ond pan feddyliais am y peth, sylweddolais ei bod hi'n iawn, mewn ffordd. Dim ond ddoe roedd hi'n fabi yn cropian ar deils y gegin, a dyma hi nawr yn gwisgo'i bra cyntaf ac yn dwyn fy ngholur i.

Am amser hir, am flynyddoedd ar ôl i bethau ddod i ben gydag Alan, fy hen sboner, wnes i erioed feddwl am gael cariad arall. Allwn i byth â dychmygu'r peth. Ond ychydig amser yn ôl, fe ddechreuais gofio sut deimlad oedd e. Cael gwres dyn yn gorwedd gyda fi yn y gwely, neu gael rhywun yn dal fy llaw ac yn fy nghusanu i. Dim cwtsh a swsys fel ro'n i'n eu cael gan Beth drwy'r amser, ond rhai oedd yn golygu rhywbeth. Cyffyrddiadau bach oedd yn gwneud i mi deimlo *rhywbeth* y tu fewn i mi. Yn gwneud i mi deimlo bod mwy i fywyd na bod ar ddihun. Yn gwneud i mi deimlo fel pe bawn i'n fyw – go iawn. Am sbel hir roedd meddwl am y pethau hyn wedi gwneud i fi deimlo'n grac ac ro'n nhw'n codi ofn arna i. Ond yn ddiweddar ro'n i wedi bod yn meddwl pa mor neis fyddai cael mynd i gysgu gyda breichiau rhywun arall heblaw fy mreichiau i fy hun o'm cwmpas.

Mynnodd Beth mod i'n eistedd ar ei gwely wrth iddi hi roi'r manylion ar y cyfrifiadur gafodd hi gan fy mrawd Nadolig diwethaf. Ofynnodd hi ddim unwaith i fi beth ddylai hi ysgrifennu.

'Pum troedfedd chwe modfedd, tenau, llygaid glas, gwallt golau, hoffi . . . ' Trodd ac edrych arna i o'm corun i'm sawdl, '. . . cerddoriaeth, theatr, ffilmiau, bwyta allan a chael amser da. Dwi'n mynd i anfon y llun hwnnw dynnodd Wncwl Sion ohonot ti ar Nos Galan. Yr un dynnodd e cyn i ti feddwi'n rhacs, yr un lle wyt ti'n dal i wisgo lipstic.'

Ro'n i bron â dweud wrthi nad o'n i mor dal â 'ny, nad o'n i'n meddwl bod seis un deg chwech yn denau, mai llygaid llwyd sydd gen i, a gwallt brown golau, ac mai fy syniad i o noson dda oedd eistedd yn y tŷ yn gwylio'r teledu ac yn bwyta bar o siocled. Ond tra o'n i'n pendroni am hyn, roedd hi wedi clicio'r hen lygoden 'na ac wedi anfon y cyfan. Doedd dim syniad 'da fi i ble'r aeth y cwbwl nac at bwy, ond i rywle lle'r oedd pobl eraill yn gallu edrych arno fe.

'Sai'n siŵr am hyn,' dywedais. Roedd Beth wedi clicio allan o'r We ac yn chwilota yn ei bag ysgol am ei gwaith cartref. Ro'n i wedi bod yn chwilota yn fy mhoced am fy mhwmp anadlu glas. 'Wyt ti'n gallu cael yr holl beth nôl? Dwi wedi newid fy meddwl.' Rholiodd Beth ei llygaid. Mae hi'n gwneud tipyn o hynny'r dyddiau yma.

'Mam,' dywedodd, 'ti'n ddau ddeg wyth. Ti'n ifancach na Posh Spice, hyd yn oed os nad wyt ti'n edrych fel'ny. Mae angen sboner arnat ti. Bydd e'n grêt, iawn? Mae pawb yn ei neud e'r dyddie 'ma. 'Nath Miss James e ac mae hi'n priodi nawr!' Eisteddais yno am dipyn yn edrych arni yn defnyddio'r cyfrifiadur heb unrhyw drafferth yn y byd. Yna rholiodd ei llygaid unwaith eto a dweud. 'Ma-am! Cer i wylio *Pobol y Cwm* neu rywbeth, *plîs!*'

Hyd yn hyn, ro'n i wedi cael tri ymateb gan yr Asiantaeth. Fe es i ar dri dêt. A dweud y gwir, bron allech chi ddweud bod y tri fel tri *blind date*, achos roedd yn amhosib i mi ragweld yr holl helynt.

Pennod 3

Cyn mynd nôl at y gwaith agorais y darn o bapur oedd ym mhoced fy jîns a darllen y jôc roedd Beth wedi'i gadael i mi.

Sut ych chi'n gwybod bod eliffant wedi bod yn yr oergell?

Mae ôl ei draed yn y menyn!

Do, fe ddechreuais i chwerthin. Byddai plentyn pedair oed yn meddwl bod honna'n un dda. Roedd Siw'n meddwl ei bod hi'n eithriadol o ddoniol.

'Siapwch hi, ferched!' gwaeddodd Patsi ar draws y ffreutur. 'Mae amser coffi drosodd.'

Cododd y tair ohonon ni a dechrau ar y ffordd nôl. Nia'n gynta allan i'r siop, wedyn finne, a Siw'n olaf. Dim ond cwyno wnaeth Siw gan ei bod hi ar y tampons.

'Licen i fod ar y tampons,' dywedais wrthi dros fy ysgwydd. 'Pysgod ffres sy 'da fi. Dwi'n casáu pysgod ffres. Maen nhw'n drewi'n uffernol.'

'Nia,' galwodd Siw wrth i ni adael y ffreutur. 'Mae'n rhaid i ti drefnu bod Gwen yn neud rhywbeth gwahanol. Dy'n ni ddim eisiau iddi ddrewi o bysgod heno, odyn ni?'

Nia oedd yn gofalu am bob til ar ein shifft ni. Capten Cash roedd Siw yn ei galw hi. Roedd Nia wrth ei bodd yn ei chot oren lachar, yn cerdded yn bwysig o un til i'r llall gyda'r clipfwrdd parchus.

'Ga i air gyda Patsi,' dywedodd â'i thrwyn yn yr awyr. Roedd y swydd yn golygu popeth i Nia, ac roedd hi'n uchelgeisiol iawn hefyd. Capten Cash heddiw, Rheolwr Adran fory, a'r Dirprwy Reolwr drennydd. A'r diwrnod ar ôl hwnnw, y byd, fel byddai Siw yn arfer ei phryfocio.

I Siw, ar y llaw arall, roedd y gwaith yn yr archfarchnad yn debyg iawn i fod yn yr ysgol. Rhywle i gael lot o sbort heb fynd i ormod o drafferth. Wrth gwrs, doedd dim gobaith ganddi gael swydd y Capten Cash.

Ro'n innau yn yr un cwch. Allwn i ddim gweithio'r tils heb eu rhacso nhw. Hyd yn oed y rhai modern, a dim ond rhoi'r *bar code* o dan y golau coch sydd eisiau i chi wneud gyda rheiny. Wir nawr, dwi'n gwybod yn iawn beth sy raid i mi wneud. Ond mae dawn ryfedd 'da fi i dorri pob teclyn trydanol. Bob tro bydda i'n gweithio y tu ôl i'r til fe allwch chi fentro y bydd e'n rhacs jibidêrs o fewn pum munud.

Mae e wastad yn digwydd ar fore dydd Sadwrn. Mae 'na giw anferth bob tro, a rhyw fenyw dew, gegog, ddiamynedd yn tapio'i cherdyn credyd yn wyllt ar y cownter am ei bod hi bum munud yn hwyr yn casglu'i phlentyn o'r wers *ballet* a hynny mewn car mawr crand yr un maint â bws. A phan fydd pobl yn dechrau edrych arna i fel pe bawn i'n dwp, dwi'n dechrau teimlo'n dwp ac yn sydyn iawn dwi'n anghofio popeth am y til a sut mae'n gweithio. Dwi'n edrych arno ond fe allwn dyngu mod i erioed wedi'i weld yn fy mywyd o'r blaen. Dwi ar goll yn llwyr. Wedyn dwi'n gorfod fflachio fy ngolau tan i'r Capten Cash gyrraedd, ac ar ôl iddi wasgu dau fotwm, mae'r til yn gweithio unwaith eto. Yna rhaid i fi gymryd hoe fach. Y pysgod ffres sy'n aros amdana i pan fydda i'n dod nôl.

Felly dim ond pan fydd y ffliw ar bawb y bydda i'n cael mynd ar y til, neu ar ddydd Sant Ffolant pan fydd neb arall eisiau gweithio gyda'r hwyr. I Siw, mae'r swydd yn gyfle da i gael lot o sbort. I Nia mae'n cynnig gyrfa, ac i fi, swydd yw hi yng ngwir ystyr y gair, i gynnal Beth a finne. Dwi'n gallu prynu'r *trainers* diweddaraf iddi neu gêmau ar gyfer yr XBox, anrheg gan fy mrawd. Dwi ddim wedyn yn dibynnu ar neb.

Dwi'n fwy lwcus na sawl un. Mae garej 'nhad yn ei gwneud hi'n dda, busnes eitha llewyrchus. Dim ond i fi ofyn a dwi'n gwybod y byddai Dad yn fodlon rhoi mwy o help eto i ni, o ran arian. Mae'n dweud hynny bob nos Fercher pan fyddwn ni'n mynd draw i'r tŷ i gael 'sgod a sglods. A dwi'n gwybod bod Beth yn teimlo y dylwn i adael iddyn nhw helpu mwy. Byddai'n dda cael mwy o arian i brynu'r dillad neu'r DVD mae hi eisiau – ond mae'n well gen i beidio.

Pan adawodd Alan, roedd yn rhaid i mi edrych ar ôl fy hunan a Beth. Roedd yn rhaid i mi brofi i fi'n hunan mod i'n gryf. Weithiau mae'n anodd iawn, ond mae'n rhaid i fi ddod i ben ar fy mhen fy hun. A phan dwi'n edrych ar y cyfan sydd gyda ni, dwi'n gwybod mai fi sy'n gyfrifol am bron popeth, ac mae hynny'n deimlad braf.

Pennod 4

'Paid symud fi o'r pysgod ffres,' dywedais wrth Nia. 'Sa i'n mynd i gwrdd â'r boi ma.'

Anadlodd Nia'n ddwfn, codi'r clipfwrdd a dweud, 'O, dere mlaen, Gwen. Fyddi di byth yn gallu gesio pwy yw e!'

Blinciais arni. Roedd hynny'n golygu mod i'n nabod y boi.

'Nia!' Roedd llais Siw yn siarp. 'Dy'n ni ddim yn mynd i ddweud wrthi pwy yw e, iawn?'

'Dwi ddim wedi dweud wrthi! Y cwbwl wedes i oedd . . .'

'Beth? Ydw i'n nabod y boi 'ma?' gofynnais, gan edrych ar Siw.

'Wyt,' dywedodd Siw, gan edrych ychydig yn anghysurus.

'Dwi'n nabod e, a dyw e ddim yn hen gariad i ti?'

Nodiodd Siw.

Edrychais draw at Nia. 'Pwy yw e, Nia?' gofynnais.

'Sa i'n dweud,' dywedodd Nia, 'ond pan weli di fe, byddi di'n falch iawn dy fod ti wedi mynd, dwi'n addo i ti . . .'

Mewn chwinciad, fflachiodd rhestr o bosibil-iadau trwy fy meddwl.

'Brian?' gofynnais.

'Na,' atebodd Siw.

'Meic, Iwan, Meirion, Bob . . .?'

Ysgydwodd Siw a Nia eu pennau ac ro'n i'n falch. Do'n i ddim eisiau 'run ohonyn nhw. Wel, pwy oedd ar ôl ro'n i'n 'nabod?

Meddyliais am un enw ond fentrwn i ddim ei ddweud yn uchel. Dim ond un person y byddwn wedi hoffi ei weld yn eistedd wrth y bwrdd yn disgwyl amdana i am saith o'r gloch y noson honno. Ond doedd dim posib mai hwnnw fyddai e. Am ddau reswm. Yn gyntaf, doedd Siw na Nia na'r un enaid byw heblaw amdana i yn gwybod fy mod i'n ei hoffi. Ac yn ail, fe oedd rheolwr y bar yn y Llew Du. Byddai e yno yn y bar yn gweithio ar nos Wener, ac yn 'y ngweld i'n cwrdd â rhyw dwpsyn.

Do'n i ddim yn ffansïo Ifor ar y dechrau. Wrth ei weld e'r tro cynta ches i ddim o'r teimlad anhygoel 'na o syrthio mewn cariad ar unwaith, y galon yn rasio a finne'n methu dweud yr un gair. Doedd yna ddim tân gwyllt na hyd yn oed fflach o olau pan welais i fe gyntaf. A dweud y gwir, ro'n i'n meddwl ei fod e'n rhy fyr i fi i ddechrau ac roedd e'n dawel iawn, yn swil. Nia oedd y gyntaf i sylwi bod ganddo lygaid neis ac roedd Siw yn dwlu ar ei acen Caerdydd.

Roedd e wedi bod yn gweithio yn y Llew Du ers tipyn. Fe, nid Siw a Nia, oedd yn fy nenu i yno ar nos Wener. Ro'n i wrthi'n paratoi i gwrdd â'r merched pan sylweddolais fod fy mola'n teimlo'n od. Ro'n i'n meddwl falle mai'r frechdan Chicken Tikka ges i amser cinio oedd yn gyfrifol ac fe eisteddais i ar y toiled ond ddigwyddodd dim byd. Roedd gen i frith gof o deimlo rhywbeth tebyg o'r blaen. Meddyliais am y tro cyntaf i mi deimlo Beth yn symud tu fewn i fi, yn siffrwd fel aderyn yn curo'i adenydd. Ond, yn bendant, do'n i ddim yn feichiog.

Dechreuais chwerthin yn uchel, wrth eistedd ar y toiled. Roedd cymaint o amser wedi mynd heibio ers i mi gael y teimlad hwn, nes mod i wedi anghofio amdano'n llwyr. Pili Pala oedd yno'n corddi! Ro'n i'n gyffro i gyd wrth feddwl am weld Ifor y noson honno. Mae'n rhaid mod i wedi bod yn ei ffansïo fe ers oesoedd. Ond do'n i ddim wedi sylweddoli hynny. Ro'n i'n meddwl bod y teimlad 'na wedi diflannu am byth. Yn gwbl farw.

Ond ddywedais i ddim wrth neb. 'Se Siw'n gwybod byddai'r holl fyd yn cael gwybod erbyn amser te. Ac wrth gwrs, fyddai Ifor ddim yn ffansïo rhywun fel fi, yn enwedig pan oedd merched tenau ugain mlwydd oed yn taflu eu hunain ato bob nos. Fy nghyfrinach i'n unig oedd hi. Ro'n i'n gallu ei mwynhau hi ac esgus falle y byddai'n dod yn wir rhyw ddiwrnod.

Edrychais ar Siw. Yn sydyn, dychrynais wrth i mi feddwl pwy allai'r dyn fod. Dechreuais grynu. Mae'n rhaid mod i wedi mynd yn wyn oherwydd estynnodd Siw ei llaw a symud ata i.

'Beth sy'n bod, cariad?' gofynnodd yn garedig.

Gorfodais fy hun i ofyn. 'Dim . . . dim *fe* yw e?' Diflannodd y chwerthin o wyneb Siw mewn chwinciad.

'Na, Gwen! Na. Fydden i byth, *byth* yn gneud hynna, ti'n gwbod 'ny,' dywedodd yn bendant.

'Dwi'n gwbod na fyddet ti'n bwriadu gwneud,' dywedais. 'Ond ti'n gwbod shwt un yw e. Ro'n i'n meddwl, 'se fe eisie 'ngweld i bydde fe'n treio dy berswadio di a falle . . . falle . . . falle.' Roedd y geiriau wedi sticio, fel CD wedi crafu. Meddwl am Alan oedd yn gwneud hyn i fi. Mae'n gas gen i feddwl beth fyddai'n digwydd 'sen i'n cwrdd ag e wyneb yn wyneb.

'Gwranda arna i,' dywedodd Siw, gan roi ei llaw ar fy ysgwydd. 'Dim fe yw e. Dyw Alan

ddim hyd yn oed yn byw rownd ffor' hyn
rhagor. A bydde fe byth yn dod nôl fan hyn
chwaith. Mae e'n gwbod yn iawn beth
ddigwyddith iddo fe 'se fe'n mentro dangos ei
drwyn. Dim fe yw e, iawn?' Nodiais fy mhen
ac edrychodd Siw arna i a'i gwefusau'n llinell
denau.

'Dwi'n casáu gweld ti fel hyn,' dywedodd.
'Pryd wyt ti'n mynd i sylweddoli does neb yn
mynd i neud dolur i ti rhagor? Rwyt ti'n gryf,
yn fenyw annibynnol, iawn? A ta beth, dwi
yma, mae dy fam a dy dad, Eddie . . .'

'A finne,' dywedodd Nia, gan deimlo allan
ohoni braidd.

'Cofia,' dywedodd Siw gan wincio arna i.
'Mae Alan wedi *mynd*. Mae e wedi mynd ers
blynyddoedd. Ddaw e byth nôl. Mae'n rhaid i
ti stopio gadael iddo fe godi ofn arnat ti.'

Nodiais ac anadlu'n ddwfn. Es i mewn i
'mhoced a dod o hyd i'r pwmp glas a chymryd
dau bwff. Anadl fawr, a chyfri deg. Anadl fawr,
a chyfri deg.

'Wyt ti'n mynd i chwydu?' Roedd llais
Patsi'n rhy uchel o lawer ac yn gas.

'Nadw, Patsi,' dywedais. 'Tamed bach yn fyr
fy anadl . . .'

'Wel, peidiwch sefyllian fan hyn yn clebran
'te. Nôl at y gwaith 'na! Beth chi'n meddwl

yw'r lle 'ma? Butlins?' Edrychon ni ar ei thin yn ysgwyd wrth iddi fartsio draw at silffoedd y bwyd tun.

'Reit, mae'n rhaid i ti fod 'na heno, iawn?' dywedodd Siw. 'Byddi di'n falch ar ôl i ti gyrraedd.' Roedd hi'n gwenu eto.

Meddyliais am eiliad. Os nad oedd e'n un o'r rhai o'n i wedi eu henwi'n barod . . . efallai . . . efallai mai Ifor oedd e.

Mae Beth wastad yn dweud os bydd rhywun yn dechrau meddwl bod pethau da'n mynd i ddigwydd, yna fe ddaw hynny'n wir. Mae hi byth a hefyd yn pregethu, ''sdim pwynt cwyno bo' ti heb ennill y Loteri, Mam, pan fyddi di ddim hyd yn oed yn prynu tocyn. Alli di ddim disgwyl i'r boi iawn ymddangos dan dy drwyn di fel'na. Mae'n rhaid i ti fynd mas i edrych amdano fe. Mae'n rhaid i ti fentro.'

Mwy na thebyg nid Ifor fyddai'n cwrdd â mi yn y bar heno. Ond falle . . . Ac roedd hi'n werth mentro i gael gweld.

'Olreit,' dywedais, gan deimlo fy hunan yn dechrau gwenu wrth i'r bola ddechrau corddi eto. 'Pam lai?'

'Hwrê!' dywedodd Nia'n dawel gan wthio'i beiro i ben y clipfwrdd. 'O leia bydd e'n well na'r llabwst dwl 'na gwrddest ti yn Yoko's.'

'Fydd e?' gofynnais. 'Pam?'

'Dyw e ddim yn briod,' atebodd.

Dyma'r Un oedd ddim yn ddigon da i unrhyw fenyw, ddim yn ddigon da i'w wraig hyd yn oed.

Cerddais i mewn i'r bar. Do'n i ddim wedi bod yn Yoko's ers blynyddoedd. Dim ond nawr ro'n i'n cofio pam. Roedd sŵn uchel y gerddoriaeth yn pwno yn 'y nghlustiau ac roedd y goleuadau'n fflachio'n wyllt. Sa i'n gwybod pam oedd yr Andrew yma, yr enw ar yr ebost, eisiau i ni gwrdd mewn clwb nos ar nos Iau. Roedd hi newydd droi wyth o'r gloch ac roedd y lle bron yn wag. Ro'n i'n crynu a'r mwg yn gwneud i mi besychu. Agorais yr ebost roedd Beth wedi'i brintio a darllen y cyfarwyddiadau.

'I fyny'r grisiau yn y seddau preifat,' roedd e'n dweud. Edrychais ar ei lun. Hyd yn oed yn y goleuadau strôb yma roedd e'n eitha golygus. Roedd Beth wedi ysgrifennu jôc ar waelod y dudalen.

Beth ych chi'n galw dafad heb goesau?
Cwmwl!

Gwenais. Doedd hi ddim hyd yn oed yn ddoniol. Ond roedd y ffaith bod Beth wedi ceisio gwneud i mi wenu pan o'n i'n teimlo'n nerfus yn fy ngwneud i'n hapus. Sut yn y byd, er gwaetha popeth, o'n i wedi cael plentyn mor arbennig?

Wrth i fi gerdded i fyny'r grisiau fe dawelodd y gerddoriaeth ychydig. Doedd neb yn eistedd yn y seddau preifat ond fe gerddais ar hyd y rhes tan i fi ddod o hyd iddo'n eistedd yn y gornel. Roedd e wedi bod yn edmygu'i hunan yn y drych ar y wal pan welodd e fi a throi.

''Co ti fan'na,' dywedodd. Oedd e'n siarad â fi neu â 'mronnau?

'Ie, dyma fi,' dywedais innau, gan deimlo'n nerfus. 'Ha, ha.'

Rhoiodd ei law ar y sedd y drws nesaf iddo ac eisteddais i. Gwthiodd ddiod ataf ar draws y bwrdd. Gwydr tal gyda llawer o iâ, gwelltyn cyrliog ac ymbarél melyn ynddo.

'Prynes i goctêl i ti,' dywedodd. '*Sex on the Beach.*' Edrychai'n falch iawn o'i hunan wrth i fi gymryd sip. Roedd e'n blasu fel pop coch.

'Iechyd da,' dywedais.

Syllodd ar fy mronnau unwaith eto, a dechreuais ddifaru gadael i Beth fy mherswadio i brynu top newydd.

'Alli di byth wisgo'r stwff hen ffasiwn 'na i glwb nos, Mam,' dywedodd wrtha i yn Topshop. 'Beth am hwn? Mae e yn y sêl.'

Do'n i ddim yn hoffi'r top gan ei fod e'n rhy dynn a'r holl floneg yn gwthio allan o dan fy mra. Ond dywedodd Beth ei fod e'n 'lysh' felly fe brynais i fe.

'Dwed rywbeth am dy hunan, Gwen,' dywedodd Andrew. Do'n i ddim yn gwybod beth i'w ddweud. Doedd neb wedi gofyn i mi wneud hynny ers blynyddoedd. Os erioed.

'Sdim byd lot i'w ddweud,' dywedais, gan sugno'r coctêl drwy'r gwelltyn cyrliog. 'Mae gen i ferch o'r enw Beth sy'n ddeuddeg oed. Dwi'n gweithio yn yr archfarchnad leol – a dyna ni. Jyst fel mae e'n dweud ar y peth 'na. Y proffil.'

Pwysodd Andrew ychydig yn nes ata i. Roedd e'n drewi o bersawr cryf.

'Dim 'na beth dwi'n feddwl,' dywedodd, yn dawel iawn, mor dawel fel bod yn rhaid i fi bwyso'n agosach ato er mwyn ei glywed dros sŵn y clwb nos. 'Dwed wrtha i pa fath o fenyw wyt ti.'

Roedd e'n eitha od a dweud y gwir. Wrth i fi sipian y coctêl, dechreuais siarad. Roedd y geiriau'n llifo'n hollol ddidrafferth. Ar ôl dechrau doedd dim troi'n ôl. Ddywedais i ddim popeth wrtho, diolch i Dduw. Ond fe fues i'n siarad am Beth a minnau, a sut y'n ni'n dod i ben ar ein pennau'n hunain. Erbyn diwedd y coctêl dywedais wrtho fy mod i'n unig.

'Mae'n rhaid bod anghenion gan fenyw bert fel ti,' dywedodd, 'ac fe alla i helpu.'

'Anghenion?' gofynnais, gan gofio bod rhaid i mi dalu'r bil nwy; roedd y bil coch wedi dod drwy'r post y bore hwnnw.

'Anghenion,' dywedodd. Ac fe gusanodd fi.

Ces i dipyn o sioc i ddechrau. Am eiliad neu ddwy do'n i ddim yn sylweddoli beth oedd yn digwydd, ac yna roedd hi'n rhy hwyr i droi'n ôl. Ro'n i'n ei gusanu'n ôl. Roedd ei law i mewn yn y top newydd, yn gwasgu ac yn mwytho, ac roedd fy llaw i ar ei goes. Roedd ei geg yn chwilio'n wyllt am fy ngheg i, ac wrth i ni gusanu ro'n i'n teimlo fel 'se'r clwb nos yn troi. Dwi'n cofio edrych ar fy oriawr a rhyfeddu nad oedd hi'n naw o'r gloch eto. Ar ôl ychydig, torrodd i ffwrdd a sychu'i geg gyda chefn ei law.

'Beth am fynd nôl i dy le di?' gofynnodd.

'Fy lle i?' atebais, gan gofio am Mam a Beth.

'Ie,' dywedodd. Estynnodd ei law chwith a rhedeg ei fys ar hyd siâp V y top. Ac nid unrhyw fys. Ond trydydd bys ei law chwith. Gyda rhyw farcyn gwyn arno. Croen nad oedd wedi dal yr haul fel y gweddill gan fod modrwy yn y ffordd fel arfer. Edrychais ar y marcyn ac yna sylweddolais yn union beth oedd e'n feddwl.

'Ti'n briod,' dywedais yn syn, heb deimlo'n gas. Edrychodd Andrew ar ei fys hefyd, a'i dynnu nôl yn gyflym. Dwi'n credu iddo regi'n dawel, yn grac mod i wedi sylwi.

'Yyyy . . . na . . .' dywedodd. 'Wel, ddim go iawn. Be dwi'n feddwl yw, dim ond mewn enw. Ry'n ni'n cael ysgariad mewn rhai misoedd . . . Reit, be ti'n weud? Mae 'da ni rywbeth sbesial, on'd o's e?'

Edrychais arno gan gofio'r teimlad o gael ei ddwylo ar fy mronnau a'i geg ym mhob man. Am eiliad ro'n i eisiau mwy ac yn teimlo'n barod amdano, ond nawr ro'n i'n teimlo'n frwnt fel 'sen i'n werth dim, yn union fel y top ges i yn y sêl.

'Sori,' dywedais. 'Sa i'n mynd mas gyda dynion priod.' Ac fe godais i.

'Yr hen hwren,' dywedodd.

'Beth wedest ti?' gofynnais iddo. Fel arfer byddwn i wedi esgus mod i heb glywed, er mwyn osgoi trafferth. Ond dwi'n meddwl bod y coctêl wedi gwneud i mi deimlo'n ddewr.

'Y ffycin hwren, wedes i.' Poerodd y geiriau'n uchel dros sŵn y gerddoriaeth. 'Dwi'n nabod dy deip di. Plentyn deuddeg oed a tithe ddim eto'n dri deg. Ti wedi bod yn ffwcio ers blynyddoedd, ac yn gadael i bawb gael tro. Paid ti â dweud wrtha i bod hwren fel ti ddim yn mynd 'da fi achos mod i'n briod. Be sy'n bod? Ti moyn arian?'

Ro'n i eisiau ateb nôl, a 'neud iddo ddifaru am bob gair roedd e wedi'i ddweud, ond do'n i ddim yn gallu. Doedd yr alcohol, hyd yn oed, ddim yn gwneud i fi deimlo mor ddewr â 'ny. Ro'n i wedi bod trwy'r profiad hwn o'r blaen, yn sefyll o flaen pobl yn llawn casineb, yn gweiddi pob math o bethau ffiaidd ata i. Ro'n i'n gwybod mai dim ond un peth allwn i wneud. Cerddais i bant mor gyflym ag y gallwn gan dynnu 'nghot amdana i wrth adael y clwb.

Wrth i fi adael nodiodd y bownsar arnaf.

'Da iawn ti, cariad,' dywedodd. 'Ti wedi neud y peth iawn. Mae rhyw hen ast druan 'da fe fan hyn bob wythnos.'

Gartref dywedais wrth Beth nad oedd e'n siwtio a'r cyfan wnaeth hi oedd codi'i hysgwyddau, gwenu a gwneud paned o siocled poeth i mi.

'Paid â becso, Mam,' dywedodd. 'Dere i ni gael edrych ar y cyfrifiadur i weld a oes unrhyw negeseuon wedi dod trwyddo i ti.' Doedd gen i mo'r galon i wrthod, ond fe fues i'n crio am oesoedd cyn mynd i gysgu'r noson honno. Yn y gwaith y bore wedyn fe wnes i jôc fawr o'r holl beth. Roedd Siw a Nia yn eu dagrau am eu bod yn chwerthin gymaint ac fe deimlais yn well bron yn syth.

Pennod 5

Deodorant
Raser
Farnish Ewinedd
Toddwr Farnish Ewinedd
Condoms

Sefais wrth y cownter condoms gan edrych o gwmpas i weld a oedd unrhyw un wedi sylwi arna i. Do'n i ddim wedi prynu condoms ers blynyddoedd. Do'n i erioed wedi defnyddio condom, a dweud y gwir. Dim ond dau fachgen ro'n i erioed wedi bod gyda nhw. Rhys Edwards, bachgen ro'n i'n arfer ei ffansïo yn yr ysgol, a dim ond unwaith oedd hynny. Ac Alan, tad Beth. Doedd Alan ddim yn hoffi defnyddio condoms felly fe es i ar y bilsen. Mae'n eitha od. Hyd yn oed ar ôl i ni orffen bues i'n cymryd y bilsen am ddwy flynedd. Dwi ddim yn siŵr pam; mae'n rhaid mod i wedi mynd i'r arfer o wneud hynny.

A dwi ddim yn gwybod pam roies i gondoms ar fy rhestr siopa, dim ond oherwydd bod Beth wedi bod yn ceisio fy mherswadio i brynu rhai ers tipyn.

'Mae rhyw diogel yn bwysig, Mam,' dywedodd wrtha i. 'Dim ond un o'r peryglon posib yw mynd yn feichiog,' dywedodd. 'Mae 'na lwythi o glefydau cas o gwmpas hefyd.' Ro'n ni yn y gegin ar y pryd, hi'n golchi'r llestri a finnau'n crafu tatws. Bron i mi dorri blaen fy mys i ffwrdd.

'Shwd wyt ti'n gwbod am gondoms?' gofynnais gan droi ar fy sawdl a phwyntio'r gyllell ati.

'Be ti'n feddwl, shwd odw i'n gwbod?' dywedodd, heb hyd yn oed godi'i phen o'r llestri. 'Dwi'n dysgu amdanyn nhw yn yr ysgol, Mam. Addysg Rhyw. Hy!'

Stopiais a cheisio dod o hyd i'r geiriau cywir. Ro'n i'n teimlo fel 'sen i wedi bod yn disgwyl iddi gyrraedd yr oedran 'ma ers iddi gael ei geni. Poeni a disgwyl am yr amser pan fyddai Beth yn cael gwared ar y doliau Barbie a dechrau meddwl am fechgyn, a phoeni y byddai'n torri'i chalon dros ryw fachgen na fyddai'n becso'r un daten amdani ar ôl hynny. Roedd Beth yn wahanol iawn i fi. Pan es i'n feichiog doedd gen i ddim byd ond y babi. Doedd gen i ddim arholiadau. Ro'n i wedi gadael yr ysgol cyn i mi sefyll unrhyw arholiad. Doedd gen i ddim cariad. Doedd gen i ddim dyfodol, yn wahanol iddi hi. Byddai

hi'n gallu gwneud unrhyw beth gyda'i bywyd.
Hyd yn oed mynd i'r coleg 'sen i'n safio digon
o arian bob mis.

'Beth,' dywedais. Edrychodd arna i o ganol y
llestri. 'Dwi'n dy garu di. Ti yw'r peth gorau yn
'y mywyd i.'

'Dwi'n gwbod,' dywedodd, gan chwythu
swigen ataf.

'Ond dwi eisiau i ti wybod . . . Ces i ti pan
o'n ifanc, pan o'n i ar fy mhen fy hun. Doedd
hi ddim yn hawdd . . .'

Protestiodd Beth. 'Ma-am! Onest! Sdim un
ffordd yn y byd y bydda i'n mynd yn feichiog.
Ti'n meddwl mod i'n mynd i gael rhyw a chael
babi dim ond achos mod i'n gwbod beth yw
condoms? Os *nag* wyt ti'n gwbod beth yw
condoms dyna pryd y gallet ti fynd yn
feichiog! Dylet ti, o bawb, wbod hynny.'
Crychodd Beth ei thrwyn. 'Ych a fi, sa i moyn
cael rhyw, ddim am oesoedd ac oesoedd. A ta
beth, fydden i byth yn meddwl cael rhyw heb
gondom.'

'Ond mae bechgyn yn gallu perswadio . . .'
dechreuais.

'Mae bechgyn yn dwp, felly dwi ddim yn
mynd i wrando arnyn *nhw*, odw i?' torrodd
Beth ar fy nhraws. 'A dwi ddim eisie i ti fynd
yn feichiog chwaith. Felly os wyt ti eisie cael

rhyw pan gei di sboner mae'n well i ti brynu condoms, iawn?'

'Iawn,' dywedais. Ac yna fe benderfynais stwmpo'r tatws yn lle gwneud sglodion.

Edrychais i lawr ar yr eitemau oedd yn fy masged a phenderfynais anghofio am y condoms. Pam yn y byd o'n i wedi eu rhoi nhw ar y rhestr siopa yn y lle cyntaf? Byddai Beth yn synnu mod i'n poeni weithiau na fyddwn i byth yn cael rhyw gyda dyn eto. Weithiau, yn y nos, wrth fynd i gysgu dwi'n dychmygu sut brofiad fyddai caru gydag Ifor. Ond nid breuddwyd yw hwn, ac nid Ifor fydd yn disgwyl amdana i yn y Llew beth bynnag. Felly gadewais y condoms ar ôl ac es at y til Ciw Cyflym.

'Dwi'n clywed bod noson fawr 'da ti heno, Gwen,' dywedodd Jên wrth y til a wincio. 'So ti wedi anghofio rhywbeth?'

Edrychais i lawr ar y fasged siopa mewn penbleth.

'O, odw,' dywedais. *Fish fingers.*

Pennod 6

Roedd Beth wedi gadael nodyn i mi a hwnnw wedi'i ysgrifennu mewn inc pinc ar ddarn bach o bapur roedd hi wedi'i sticio ar ddrws y fflat gyda thomen o dâp selo er mwyn iddo beidio chwythu i ffwrdd.

> *'Cnoc, Cnoc . . .'*
> *'Pwy sy na?'*
> *'Dan.'*
> *'Dan pwy?'*
> *'Dan y dŵr a'i donnau!'*

Roedd rhaid i fi ddarllen y jôc ddwywaith ar ôl mynd mewn i'r fflat a hyd yn oed wedyn do'n i ddim yn deall.

'Helô? Ti 'ma?' galwais.

'Odw,' atebodd Beth o'i hystafell wely. Ro'n i wastad yn falch clywed ei llais. Wastad yn falch gwybod ei bod hi'n ddiogel a bod popeth yn iawn ar ôl diwrnod arall yn yr ysgol.

Doedd Beth erioed wedi meddwl am yr ysgol fel ro'n i wedi gwneud pan o'n i'n blentyn. Roedd hi'n croesawu pob diwrnod gyda'r un egni a hapusrwydd. Doedd hi erioed yn meddwl efallai un diwrnod y byddai rhywun yn gas wrthi hi. Ddim am ei bod hi wedi gwneud unrhyw beth yn anghywir ond oherwydd pwy oedd hi. Roedd hi wedi cael ambell i ffeit gyda'i ffrindiau, ond doedd e erioed wedi croesi'i meddwl y byddai'r merched roedd hi yn yr ysgol feithrin gyda nhw yn troi arni ac yn gwneud ei bywyd yn ddiflas.

'Achos dyw Beth ddim fel ti,' roedd yn rhaid i mi atgoffa fy hunan bron bob dydd. 'Mae hi'n ferch gref, boblogaidd. Dyw hi ddim y teip i gael ei bwlio. Dyw hi ddim fel ti.'

Oedais y tu fas i ddrws Beth, gan geisio penderfynu p'un ai dweud wrthi am y dêt ai peidio. Doedd dim *rhaid* i fi.

Iddi hi, ro'n i wastad yn mynd mas ar nos Wener. Byddai Mam yn dod draw tua chwech a byddai'r tair ohonon ni'n clebran wrth i fi baratoi. Dros y misoedd diwethaf byddai'i ffrind gorau, Anna, yn dod draw ar ôl i fi adael, a byddai'r ddwy yn gwylio DVD ac yn bwyta *Maltesers*. Ro'n i'n gwybod mai dim ond mater o amser oedd hi cyn y byddai Beth ei hunan yn paratoi i fynd mas ar nos Wener a wedyn byddai gen i lwyth o resymau newydd i boeni amdani hi.

Doedd dim *rhaid* dweud wrthi am y *blind date*, ac roedd rhan ohono i'n ofni gwneud.

Fyddwn i byth yn ei chymharu hi â'i thad, ond pe bawn i'n gorfod dewis un peth oedd yn dangos pa mor debyg oedden nhw, byddai'n rhaid i mi ddweud bod y ddau wastad yn meddwl eu bod nhw'n iawn. Doedd Beth ddim yn cytuno â ffordd Siw o fyw, a fyddai hi ddim yn hapus o gwbwl bod Siw wedi trefnu dêt i fi. Er gwaetha hynny, ro'n i eisiau dweud wrth Beth. Dim oherwydd y byddai hi'n hanner fy lladd i pe byddai hi'n gwybod mod i wedi cadw'r peth oddi wrthi. Ond oherwydd ei bod yn ffrind da i fi – cystal â Siw a Nia. Er gwaetha'r ffaith mai fi yw'r fam, hi yw'r sment sy'n rhoi sicrwydd i fi.

Gwthiais ddrws ei hystafell wely ar agor. Roedd hi'n gorwedd ar ei bola ar y gwely, ei choesau yn yr awyr.

'Ti'n gwneud dy waith cartre?' gofynnais iddi.

'Nadw,' atebodd gan edrych dros ei hysgwydd a dal copi o *Just Seventeen* yn yr awyr. 'Dwi'n meddwl bod bŵbs ffals yn edrych yn dwp, on'd y'n nhw, Mam?' Codais fy sgwyddau, cerdded i mewn i'w hystafell, ac eistedd wrth ei desg.

'Odyn, siŵr o fod,' dywedais.

'Fel'se rhywun wedi hwpo dau falŵn anferth lan dy dop di, a'r rheini'n barod i fyrstio unrhyw funud!' dywedodd Beth, gan ddangos llun o fenyw â gwallt golau. Yna, edrychodd lawr ei thop ei hunan.

'Mae Siw a Nia wedi trefnu *blind date* i fi heno,' dywedais yn gyflym, mewn llais tawel.

'Blind date!' Eisteddodd Beth i fyny ar ei gwely, ei llygaid yn pefrio. 'Gyda phwy? Shwt y'n ni'n gwbod ei fod e'n foi iawn os nad y'n ni wedi gweld ei lun e ar y We? Beth yw ei enw fe?'

'Sa i'n gwbod,' dywedais gan wenu. ''Na pam ma'n nhw'n ei alw fe'n *blind date.*'

'Mam!' protestiodd Beth. 'Alli di ddim mynd i gwrdd â dyn dwyt ti ddim yn nabod. Gall unrhyw beth ddigwydd.'

Ochneidiais gan geisio swnio fel oedolyn call.

'Dwi'n gwbod 'ny, Beth. Gall unrhyw beth ddigwydd gyda'r dynion ar y We hefyd. Rwyt ti'n darllen amdano fe drwy'r amser yn y papur.'

Gwasgodd Beth ei cheg yn un llinell denau. Ro'n i'n gwybod ei bod hi'n grac, nid oherwydd y byddwn efallai'n peryglu 'mywyd wrth fynd i gael diod gyda *nymphomaniac* dieithr, ond oherwydd nad ei syniad hi oedd e.

'Wel,' dywedodd, 'gobeithio dy fod ti'n cwrdd ag e mewn lle cyhoeddus. A byddai'n well i ti ddweud wrth o leia dau berson ble fyddi di a ffonia fi pan gyrhaeddi di 'na . . .'

'Dwi'n cwrdd ag e yn y Llew,' torrais ar ei thraws, cyn iddi fynnu mod i'n gorfod bod gartre erbyn naw. 'A bydd Siw a Nia a phawb arall 'na. Sai'n credu bod rhaid i ti fecso, iawn?' Meddyliais am Ifor a dechreuodd fy mola gorddi ychydig. 'Bydd e siŵr o fod yn rybish, beth bynnag,' dywedais er mwyn tawelu'n nerfau.

'Rybish fydd e 'fyd os mai Siw ddewisodd e,' dywedodd Beth. 'Mae ei chariadon hi i gyd yn dwats.'

'Beth!' dywedais yn slarp. 'Ti'n gwbod mod i ddim eisiau i ti siarad fel 'na!'

'Dim ond gair yw e, Mam,' atebodd Beth yn swta. 'Sai'n gwbod pam ti'n gymaint o ffrindie gyda Siw. Mae'n edrych yn uffernol yn y dillad 'na sy ddim yn ffitio'n iawn! Ei hoedran hi, dyle hi fod yn . . .'

'Beth!' Roedd fy llais yn uchel a stopiodd Beth yn sydyn. 'Paid byth â siarad am Siw na neb arall fel 'na eto,' dywedais wrthi. 'Mae Siw wedi bod yn ffrind da i fi. Wastad wedi bod 'na – tase hi ddim wedi bod 'na ar ôl beth nath dy dad . . .'

'Beth nath e? Beth nath e, Mam?' gwaeddodd Beth arna i ac ro'n i'n gwybod na ddylwn i fod wedi sôn am Alan. 'Pam ti'n neud hyn? Pam ti'n sôn amdano fe?' Anadlodd yn ddwfn ac ro'n i'n gwybod ei bod hi'n ceisio peidio crio. Dwi'n gwybod ei bod hi'n colli'r tad y mae hi prin yn ei gofio. Dyw hi ddim yn cyfaddef hynny, ond dwi'n gwybod ei bod hi'n ei gasáu e am beidio bod yma gyda ni. Ac weithiau dwi'n credu ei bod hi'n fy nghasáu i am ei gadw i ffwrdd. Ond mae'n anodd esbonio iddi pam mae'n rhaid i fi wneud hynny – a dwi ddim eisiau iddi gasáu'r ddau ohonon ni'n fwy fyth.

Eisteddais wrth ei hymyl ar y gwely.

'Mae hyn yn ddwl,' dywedais. 'Sai moyn cweryla gyda ti. Ond paid â bod mor gas wrth Siw, iawn? Mae hi'n berson da, cofia. Mae'n werth y byd.'

Eisteddodd y ddwy ohonon ni mewn tawelwch ac yn raddol fe ddiflannodd y tyndra.

'Sori, Mam,' dywedodd Beth. Rhoddodd ei breichiau o gwmpas fy ngwddf a rhoi cusan i mi. Roedd hi'n gwisgo'r persawr ges i gan Mam Nadolig diwetha. Fe benderfynais i beidio sôn am y peth.

'Be ti'n mynd i wisgo ar y *blind date* 'ma 'te?' gofynnodd wedyn, gan grychu'i thrwyn. 'Weda i un peth wrthot ti, mae'n well i ti gael bath a golchi dy wallt. Ti'n drewi o bysgod.'

Pennod 7

Gadawodd Beth i ddŵr y bath redeg nes bod y swigod yn codi dros yr ochr fel mynyddoedd o wlân cotwm.

'Beth ti'n feddwl o hyn?' gofynnodd i mi, yn eistedd ar y toiled tra o'n i'n siafio fy nghoesau.

'Beth ti'n galw gorila sy'n drwm ei glyw?

Unrhyw beth ti moyn – dyw e ddim yn gallu dy glywed di!'

'Y gwaetha 'to,' dywedais wrthi, gan riddfan.

'Ie glei!' cytunodd gyda'r un chwerthiniad ysgafn â phan oedd hi'n ferch fach.

'Shwt oedd yr ysgol heddi?' gofynnais iddi, yn nerfau i gyd.

'Cŵl,' atebodd hithau fel roedd hi'n arfer gwneud.

'Pa mor cŵl?' gofynnais innau iddi fel ro'n i'n arfer gwneud, yn edrych arni am unrhyw arwydd ei bod hi'n cuddio rhywbeth.

'Wel, enillodd fy nhîm i y gêm bêl-droed. Ces i B yn fy ngwaith cartref hanes ac fe gethon ni dipyn o sbort achos bod Anna'n ffansïo rhyw foi ym Mlwyddyn Wyth ac felly

43

fe gerddon ni o un pen yr ysgol i'r llall amser egwyl yn trio'i ffeindio fe. Pan ffeindion ni fe, ffaelodd Anna ddweud gair! Ar ôl cinio dywedodd Miss Williams ein bod ni'n mynd i berfformio *Grease* eleni. Ond Mam, dyw e ddim yn deg achos y Chweched sy'n cael y rhannau gorau i gyd. So ni'n cael neud dim byd ond paentio pethe neu rywbeth tebyg, felly fe wedes i . . .'

Gadewais i eiriau Beth olchi'n gynnes drosof fel dŵr y bath. Roedd hi wedi dweud y cyfan wrtho i mewn rhyw ffordd neu'i gilydd o'r blaen. Roedd e'n hollol normal iddi hi. Roedd e'n rhywbeth anhygoel i mi.

Doedd fy niwrnod arferol i yn yr ysgol ddim yr un peth o bell ffordd. Yn bendant ar ôl i mi droi'n dair ar ddeg, ta beth. Dyna pryd y dechreuodd y bwlio.

Do'n i ddim wedi sylwi ar y dechrau. Roedd hi'n amser egwyl cyn i mi sylwi nad oedd neb yn siarad â fi. Pan es i fel arfer at Emma Willetts a Hannah Evans, trodd y ddwy eu cefnau ata i a cherdded bant heb ddweud gair. Ro'n i eisiau rhedeg ar eu holau a gofyn sut o'n i wedi eu hypsetio nhw. Ond wnes i ddim. Dwi ddim y math 'na o berson. Meddyliais y dylwn i aros tan bod popeth yn iawn eto, ac yna dweud sori am beth bynnag ro'n i wedi'i wneud. Ond pan ddaeth amser cinio, trodd y ddwy eu cefnau ata i eto. Pan oedd hi'n amser mynd adre, wnes i ddim ymdrech o gwbl i siarad â nhw. Dim ond cerdded yn syth am giât yr ysgol.

'Mae'r hen hwch yn meddwl ei bod hi'n rhy dda i ni,' dywedodd Hannah. Arhosais yn stond.

'Dwi ddim!' dywedais, gan wenu. 'Ro'n i'n meddwl bo' chi ddim eisiau siarad â fi . . .'

'So ni moyn siarad â ti, hwch,' dywedodd Emma. 'Pwy fydde moyn siarad â rhyw hen hwch ddrewllyd fel ti?' Ac i ffwrdd â nhw, yn chwerthin a phwtio'i gilydd. Clywodd ambell i blentyn arall oedd gerllaw ac fe ddechreuon nhw chwerthin hefyd.

Ddywedais i ddim wrth Mam pan gyrhaeddais i gartre. Roedd y tair ohonon ni wedi cweryla o'r blaen. Weithiau fi ac Emma oedd yn erbyn Hannah. Weithiau Hannah a finne yn erbyn Emma. Tro'r ddwy yn fy erbyn i oedd hi nawr. Dywedais wrtho i fy hunan y byddai'r cwbl drosodd mewn deuddydd, fel arfer.

Ond doedd e ddim. Newidiodd dim byd am wythnos gyfan. A'r wythnos ar ôl hynny, roedd pobl eraill heblaw Emma a Hannah yn dweud pethau, yn fy ngalw'n hwch neu'n dweud mod i'n drewi. Roedd yr holl ddosbarth wedi dechrau gwneud hynny. A'r wythnos ar ôl hynny roedd e'n teimlo fel pe bai'r flwyddyn gyfan yn fy erbyn i. Byddwn i'n cerdded lawr y coridor a byddai rhywun yn siŵr o 'ngwthio yn erbyn y wal, ond erbyn i fi droi rownd, byddai pawb yn actio fel pe bai dim byd wedi digwydd. Pethau bach fel'ny, bob dydd.

Unwaith, pan ro'n ni'n newid ar gyfer Chwaraeon, gwasgodd rhywun sos coch dros fy siorts gwyn. Roedd yr athrawes ymarfer corff yn hen ast galed. Doedd hi ddim yn hoffi esgusodion. Roedd yn rhaid i fi wneud ymarferion traws gwlad yn fy nicyrs.

Roedd yn rhaid dweud wrth Mam bryd hynny. Roedd hi'n wallgof, achos roedd y siorts wedi'u sarnu. Wrth iddi eu sgrwbio yn y sinc dywedodd wrtho i fod y merched yn pigo arna i am eu bod nhw'n genfigennus mod i'n tyfu'n ferch bert. Dywedodd wrtha i am eu hanwybyddu nhw a bydden nhw'n siŵr o gael digon. Ond wnaethon nhw ddim cael digon. Am weddill y flwyddyn honno fe fuon nhw'n galw pob math o enwau arna i ac yn defnyddio pob math o resymau i bigo arna i. A nid dim ond y merched chwaith. Dechreuodd y bechgyn bigo arna i hefyd. Fi oedd un o'r merched cyntaf yn y flwyddyn i wisgo bra. Roedd y bechgyn byth a hefyd yn ceisio pingio'r strapiau neu'n ceisio tynnu 'nhop i lawr. Roedden nhw'n meddwl mod i'n mwynhau hynny gan fod fy mronnau'n eitha mawr. Ers pryd mae cael bronnau mawr yn eich gwneud chi'n rhyw fath o slwten?

'Nes i rioed ddeall pam roedd hyn i gyd yn digwydd. Doedd dim syniad gen i a o'n i wedi gwneud rhywbeth o'i le neu wedi gwneud cymaint o ddrwg i rywun fel bod yr holl flwyddyn yn troi yn fy erbyn i, un ar ôl y llall. Roedd e'n teimlo fel pe bai ton ar ôl ton o gasineb yn rowlio tuag ataf, a'r llanw'n codi o ddydd i ddydd. Roedd yn amhosib gwneud rhywbeth am y peth. Doedd gen i ddim syniad pam oedd pawb wedi troi yn fy erbyn i. Pam fi? Weithiau ro'n i'n amau a oedd unrhyw reswm o gwbl dros y bwlio. Rwy'n gobeithio bod 'na reswm. Byddai'n fwy anodd fyth i feddwl nad oedd rheswm yn y byd dros yr holl beth.

Ar ôl hynny dechreuais golli'r ysgol gymaint â phosibl. Pan ddaeth gwyliau'r haf, eisteddais ar lawr y lolfa, cau'r llenni a gwylio'r teledu am chwe wythnos gyfan. Do'n i ddim eisiau mynd nôl ym mis Medi. Plediais gyda Mam i adael i fi aros gartre, ond doedd hi ddim yn fodlon.

'So ti'n mynd i adael i ryw griw bach o ferched godi ofn arnat ti, wyt ti, Gwenfair?' gofynnodd i fi. 'Mae'n rhaid i ti fod yn gryf i fyw yn y byd 'ma. Fe ddoi di drwy hyn, gei di weld.'

Roedd ei chalon yn y lle iawn, dwi'n gwybod hynny. A taswn i wedi dweud wrthi pa mor wael oedd pethau go iawn, mi fyddai wedi gwneud rhywbeth am y peth. Ond ddywedais i ddim wrthi. Ddywedais i ddim wrth neb.

Ro'n i'n ofnus iawn pan oedd hi'n amser dechrau nôl. Ond ar ddiwrnod cyntaf y flwyddyn ysgol newydd, doedd neb yn talu unrhyw sylw i fi o gwbl, achos roedd merch newydd yn y dosbarth. Siw. Ac roedd Siw'n wahanol. Allech chi feddwl y byddai'r bwlis wedi dechrau pigo ar Siw, ond na. Roedd pawb eisiau bod yng nghwmni Siw. Roedd hi'n hollol hyderus ac roedd pawb yn edrych arni. O'r diwrnod cyntaf, roedd yr holl ddosbarth yn chwerthin gyda hi. Am wythnos neu ddwy, Siw oedd yn denu'r holl sylw, ac fe anghofion nhw amdana i. Neu ro'n i'n gobeithio eu bod nhw wedi anghofio amdana i, o leia.

Ac yna un amser cinio roedd Siw yn sefyll wrth y loceri gyda grŵp o ferched eraill, gan gynnwys Hannah.

''Co hi'n dod,' dywedodd Hannah, 'hwch y

flwyddyn. Dwi'n gallu ei gwynto hi o fan hyn.'
Chwarddodd pawb yn y grŵp, heblaw am Siw.

'Paid siarad amdani hi fel 'na,' dywedodd.

Cymerodd Hannah gam nôl. 'Dim ond bach
o sbort yw e,' dywedodd hithau, gan edrych
arna i. 'Mae hi wedi arfer ag e, on'd wyt ti,
hwch?' Gwthiodd Siw Hannah yn ysgafn a
chymerodd gam arall yn ôl.

'Wedes i, paid siarad â Gwen fel 'na,'
dywedodd Siw. Allwn i ddim credu bod Siw yn
cymryd 'yn ochr i,

'Beth yw dy broblem di?' gofynnodd
Hannah, ei llais yn crynu.

'Ti. Sai'n hoffi'r ffordd ti'n siarad â hi,'
dywedodd Siw. 'Mae hithau'n berson 'fyd.'
Edrychodd Hannah arni, wedi'i syfrdanu.
Trodd Siw ata i a phlethu'i braich trwy fy un i
a dweud, 'Dere mlaen. Dere i ni gael mynd o
fan hyn.'

'Ie, wel, cer nôl i ble ddest ti!' gwaeddodd
Hannah ar ein holau ni.

'Beth, Aberystwyth?' gwaeddodd Siw dros ei
hysgwydd a chwerthin.

Roedd y bwlio'n waeth ar ôl hynny ond
doedd dim cymaint o ots gen i. Llwyddodd
Siw a finne i ddod dros y broblem. Ro'n i'n dal
i deimlo'n nerfus wrth adael y tŷ bob bore,
ond byddai Siw yn aros amdana i ar waelod y

llwybr, wrth y giât. Ac er i'r merched eraill alw enwau gwaeth o lawer arni hi na fi, byddai hi wastad yn chwerthin am eu pennau ac yn dweud pethau tipyn mwy clyfar a chreulon nôl.

Erbyn i'r ddwy ohonon ni droi pymtheg oed, roedden ni wedi dod i arfer â'r syniad y bydden ni ar gyrion popeth yn yr ysgol. Byth yn mynd i bartïon y merched, byth yn cael ein gofyn allan gan y bois. Ond roedd y ddwy ohonon ni'n dweud bod dim ots 'da ni. Ro'n ni'n aros tan y gallen ni adael yr ysgol am byth a dechrau byw ein bywydau go iawn. Byddai'r ddwy ohonon ni'n dangos iddyn nhw wedyn.

Dechreuodd y flwyddyn TGAU yn eitha da, am fod Siw yn ffrind i mi. Dechreuais i hyd yn oed beidio teimlo'n ofnus, a bron teimlo'n normal, er nad o'n i'n cael fy nerbyn. Dechreuais sefyll yn syth eto heb guddio fy mronnau dan fy mreichiau. Dechreuais ateb yn y dosbarth. Dechreuais chwerthin yn uchel pan oedd Siw yn ddoniol. Dechreuais feddwl mod i wedi dod dros y gwaethaf, ac y byddai popeth yn iawn wedi'r cwbl. Ond newidiodd popeth pan ddaeth pawb i wybod mod i wedi cael rhyw gyda Rhys Edwards.

Pennod 8

'Paid cau dy lygaid!' gwaeddodd Beth arna i.

'Sori!' atebais innau, ond mae'n anodd peidio cau eich llygaid pan fydd person deuddeg mlwydd oed yn ymosod arnoch chi gyda phensil mascara. Dwi byth fel arfer yn gadael i Beth roi colur arna i, ond roedd hi wedi dangos erthygl i fi yn un o'i chylchgronau oedd yn dweud sut i wneud i'r llygaid edrych yn fwy.

'Mae dy lygaid di'n edrych braidd yn fach,' dywedodd, gan blygu'i phen ar un ochr er mwyn cael gwell golwg. 'Wna i goluro dy lygaid di.'

Ychydig yn ddiweddarach, ar ôl sawl haen o liw, digwyddais ddal llygad Mam wrth i Beth astudio'r casgliad digon tila o golur. Winciodd hithau arna i.

'Sdim pinc 'da ti,' dywedodd Beth. 'Mae e'n dweud fan hyn bod rhaid cael pinc i wneud y gore o lygaid glas.' Gwthiodd yr erthygl o flaen fy llygaid ac edrychais ar y model gyda'i chroen llyfn a chlir.

'Ac mae'n gallu gwneud i ti edrych fel 'se rhywbeth yn dy lygad hefyd,' dywedodd Mam, gan bwffian chwerthin i mewn i'w phaned o de.

''Na'r ffasiwn, Mam-gu,' dywedodd Beth, gan edrych yn gyflym ar Mam dros ei hysgwydd. 'Roedd pethe fel ffasiwn ar gael pan o'ch chi'n fach hefyd.'

'Sai wedi marw 'to, cofia,' dywedodd Mam, ond doedd hi ddim yn gas.

'Odw i'n mynd i edrych fel hi?' gofynnais gan nodio ar y fodel yn y llun. Chwarddodd Beth.

'Paid â bod yn ddwl,' dywedodd. 'Mae hi siŵr o fod tua un deg chwech oed a beth bynnag, mae popeth yn cael ei wneud nawr ar gyfrifiaduron. Mae bagiau dan ei llygaid a sbots drosti i gyd siŵr o fod. Mae pawb yn gwbod nad yw modelau magasîns yn edrych fel'na go iawn.' Trodd nôl ata i ac edrych ar fy wyneb. 'Mae angen pinc arnat ti. Dwi'n meddwl bod pinc 'da fi yn fy stafell i,' dywedodd yn sionc. 'Af i i' nôl e.'

Troais i edrych ar Mam.

'Shwt dwi'n edrych?' gofynnais iddi, gan bwyntio at fy wyneb.

'Fel'se ti wedi cael un o'r *extreme makeovers* 'na ar y teledu ac mae popeth wedi mynd ben i waered,' dywedodd Mam, ei llais yn crynu wrth geisio peidio chwerthin yn uchel. Codais y drych oedd wrth fy ymyl.

Roedd hi'n iawn.

'Wna i fe 'to,' dywedais. 'Pan gyrhaedda i'r dafarn.'

'Beth ti'n feddwl? Ti'n mynd i adael y tŷ fel'na?' gofynnodd Mam yn uchel. 'Sai'n gwbod pam wnest ti adael iddi neud e yn y lle cynta,' dywedodd, gan estyn paned o de i fi. 'Weithiau, dwi'n teimlo ei bod hi'n ormod o fos yn y tŷ 'ma. Ddylet ti ddim gadael iddi dy fwlio di fel'na.'

Teimlais fy nhu mewn yn berwi, a saethodd y frawddeg mas fel mellten.

'Dyw hi *ddim* yn fwli!'

'Na, na. Do'n i ddim yn meddwl 'ny,' dywedodd Mam yn gyflym. 'Ti'n gwbod beth dwi'n feddwl.'

'Dwi'n gwbod ei bod hi'n hoffi bod yn rhan o bopeth,' dywedais. 'Byddwn i'n casáu iddi feddwl mod i'n mynd i gwrdd â rhyw foi heb iddi hi wybod.'

Eisteddodd Mam wrth fwrdd y gegin. 'Mae'n rhaid i ti neud rhai pethau er dy fwyn dy hunan,' dywedodd. 'Ro'n i'n meddwl mai dyma oedd pwynt yr holl fusnes dêt ar y We 'ma.' Syllais ar adlewyrchiad golau'r gegin yn dawnsio ar wyneb y te.

'Ti'n meddwl bod hyn i gyd yn ddwl, on'd wyt ti?' gofynnais i Mam. 'Yr holl fusnes dêtio 'ma.'

Edrychais draw at Mam ond newidiodd ei hwyneb ddim o gwbl.

'Sai'n meddwl 'ny, cariad,' dywedodd yn ofalus. 'Dwi eisiau i ti gael cwmni, i gael rhywun sbesial yn dy fywyd. Ond . . . dwyt ti ddim wedi gwneud y dewis iawn bob tro, Gwen. Dwi eisiau i ti fod yn ofalus, dyna'i gyd. Mae dy Dad yn meddwl 'ny hefyd,' ychwanegodd, gan ei bod yn meddwl mod i'n gwrando mwy ar Dad.

Ochneidiais. 'Dwi wedi bod yn ofalus, Mam. Dyna pam dwi wedi bod ar fy mhen fy hunan ers i Beth fod yn dair oed! Nawr dwi eisiau mwy.'

'Dwi'n gwbod 'ny, cariad,' dywedodd Mam. 'Ond ar y We? Alli di ddim aros i gwrdd â rhywun mewn ffordd normal?'

'Syniad Beth oedd y We. A dwi wedi bod yn aros naw mlynedd i gwrdd â rhywun mewn ffordd "normal". Sdim un ffordd normal i ga'l.'

Gostyngodd Mam ei phen yn is ac edrych arna i dros ochr ei chwpan. 'Wel, rwyt ti o bawb yn haeddu ychydig o hapusrwydd,' dywedodd, a dwi'n meddwl mai hwn oedd ei ffordd hi o gydnabod mod i'n gwneud y peth iawn.

'Dwi wedi bod yn eitha da, ar y cyfan,' dywedais, gan wenu arni.

'Wel,' dywedodd Mam. 'Dwi jyst moyn dweud, wyt ti wir moyn mynd i'r dafarn heno'n edrych fel Coco'r Clown achos bo' ti ddim moyn ypsetio dy ferch ddeuddeg oed? Falle bydd y bachan 'ma heno'n eitha neis.'

Fflachiodd llun o Ifor o flaen fy llygaid a theimlais y pili pala yn hedfan yn fy mola eto. 'Ti'n iawn,' dywedais. 'Dere â macyn i fi.'

Erbyn i Beth gyrraedd nôl o'i hystafell wely ro'n i wedi golchi fy wyneb yn lân ac wedi gwisgo'r colur arferol ond gyda lipstic go iawn y tro hwn yn lle glòs clir.

'Ma-am!' protestiodd. 'Beth ti'n neud?'

'Wel, roedd e'n lyfli,' dywedais. 'Ond roedd dy fam-gu a finne'n meddwl ei fod e'n rhy sbesial ar gyfer heno. Dim ond drinc yn y dafarn fydd e. Ro'n i'n meddwl y byddwn i'n cadw at ryw damed bach o lipstic a mascara. Fel dwi wastad yn neud.' Eisteddodd Beth yn flinedig wrth y bwrdd ac edrych arna i.

'O't ti ddim yn hoffi fe, fi'n gwbod,' dywedodd ar ôl ychydig eiliadau.

'Wel, na, doedd e ddim mor wael â 'ny, ond . . .' dywedais yn ansicr.

'Sdim ots,' dywedodd Beth. 'Doedd e ddim yn mynd fel ro'n i'n disgwyl iddo fe neud. Mae'n rhaid i fi ymarfer. Bydda i'n trial e mas ar Anna heno. Ac os cei di ail ddêt, fel cinio posh neu rywbeth, wna i dy golur di bryd 'ny ac fe allet ti wisgo ffrog.'

'Diolch, cariad,' dywedais, gyda rhyddhad.

'Popeth yn iawn,' dywedodd Beth. 'Ond dwyt ti ddim yn gwisgo jîns heno, wyt ti? Bydd rhaid i ti wisgo sgert. Yr un ddu 'na brynest ti yn y sêl. Yr un sy'n agor ar yr ochr. A'r bŵts, ocê?'

'Syniad da,' dywedais, gan nodio.

'Wyt ti'n mynd i ddweud wrthi beth i'w yfed hefyd?' gofynnodd Mam, braidd yn sarcastig.

'Wel, cofia paid yfed gormod,' dywedodd Beth yn ddifrifol. 'Mae gwaith 'da ti yn y bore.'

Gwenodd Mam a finne ar ein gilydd. Efallai *bod* Beth yn dipyn o fos arnon ni, ond roedd hi mor sicr o bopeth yn ei byd bach hi ac roedd hi bob amser yn gwmni da. Doedd dim yn codi ofn arni.

'Sgwn i shwt un fydd e,' gofynnodd Mam. Agorodd ei phecyn o Benson & Hedges a thynnu sigarét allan. Fydde hi fyth yn tanio un yn fan hyn, o achos Beth a'm asthma i, ond roedd hi'n hoffi dal sigarét wrth yfed paned o de. Yn nes mlaen, ar ôl i fi adael a Beth ac Anna yn ei hystafell, byddai'n mynd i sefyll ar y balconi a smocio. Byddai'n cael un arall ar ôl *Pobol y Cwm* ac un arall yn syth ar ôl i fi gyrraedd gartre, tra mod i'n dweud sut aeth y noson. Byddai'n gwneud hyn i gyd, bob tro, ar y balconi, beth bynnag fyddai'r tywydd.

'Wel, o leia fydd e ddim yn briod,' dywedodd Mam, gan wasgu'i gwefusau'n dynn yn anfoddog.

'Neu'n hen,' ychwanegodd Beth. 'Fydde Siw byth yn trefnu i ti gwrdd â hen foi. Wel, ddim yn hŷn na ti, dwi'n feddwl.'

'Pwy mae Siw yn nabod sy'n bishyn bach neis?' gofynnodd Mam, gan bwyso nôl yn ei chadair gyda'r sigarét rhwng ei bys a'i bawd fel pe bai am dynnu anadl ddofn ohoni.

Meddyliodd y tair ohonon ni am ennyd hir. Dwi ddim yn gwybod am bwy oedd y ddwy arall yn meddwl, ond ro'n i'n meddwl am Ifor. Wrth feddwl drosodd a throsodd am y peth, ro'n i'n siŵr mai Ifor oedd e. Dwi ddim fel arfer yn berson sy'n disgwyl cael lwc dda a hapusrwydd. A dweud y gwir, dwi'n treulio'r rhan fwyaf o'r diwrnod yn dychmygu beth allai fynd yn anghywir. Pan o'n i'n ifancach do'n i byth yn meddwl am bethau drwg ac felly do'n i byth yn barod amdanyn nhw. Nawr, dwi'n ceisio dychmygu'r pethau gwaethaf a all ddigwydd. Ac os ydw i'n barod amdanyn nhw, fyddan nhw ddim yn digwydd. A dwi byth yn ceisio bod yn rhy hapus, rhag ofn bydd hynny'n dod â lwc wael.

Ond er i fi wneud fy ngore i beidio meddwl am Ifor, allwn i ddim peidio â meddwl mai Ifor fyddai'n disgwyl amdana i yn y bar heno. Sai'n gwybod pam. Roedd gen i ryw fath o deimlad rhyfedd yn fy mola, yn dweud mai fe fyddai yno. Fe geisiais anwybyddu'r teimlad. Ond roedd rhywbeth yn corddi yno drwy'r amser. Ac ro'n i'n dechrau credu fy hunan.

'Gobeithio'i fod e'n dal,' dywedodd Beth. 'Sdim byd gwaeth na chusanu rhywun sy'n fyrrach.' Penderfynais beidio ymateb.

'Ac yn lân,' dywedodd Mam. 'Gobeithio'i fod e'n lân a bod jobyn da 'da fe.'

'Ac yn ddoniol,' dywedodd Beth. 'Sdim byd mwy secsi na thipyn o hiwmor.'

'Beth!' dywedodd Mam a finne fel côr cydadrodd. Cododd Beth ei hysgwyddau.

'Wel, mae'n wir,' dywedodd, gan godi'r cylchgrawn. 'Mae'n dweud fan hyn!'

'Wel, os mai Siw sydd wedi trefnu'r dêt, o leia fydd e ddim yn waeth na'r boi diwethaf gwrddest ti yn y Llew,' dywedodd Mam, gan newid y sgwrs.

Crychais fy nhalcen ac fe gymerodd eiliad neu ddwy i fi gofio am bwy roedd hi'n siarad. Ac yna fe gofiais.

'Ie,' dywedodd Beth. 'Gobeithio bydd e 'na!'

Yr Un na welais erioed – penderfynodd beidio dod!

Fe gerddais i mewn i'r bar ar fy mhen fy hunan y tro hwnnw.

Dwi ddim fel arfer yn mynd i'r Llew yn ystod yr wythnos, ond ro'n i'n falch gweld bod y lle bron yn hollol wag. Roedd ychydig o'r *regulars* yn sefyll wrth y bar, gan gynnwys Janet, y fenyw fwyaf gwrywaidd dwi erioed wedi'i gweld, gyda'i gŵr, Emrys. Roedd Siw yn arfer dweud os oedd gan rywun broblem, yna Janet oedd honno. Doedd hi byth yn dweud hynny'n uchel gan fod Janet yn galed fel gordd ac un tro fe dorrodd hi fraich rhyw foi mewn dau le am ei fod e wedi dweud ei bod hi'n lesbian. Roedd Dai yn eistedd yn y gornel yn ceisio gwneud i'r hanner peint o Guinness bara'n hir, yn clebran yn ddi-baid â'i ffrindiau anweledig. Edrychais draw i weld ychydig o'r bois lleol yn gwylio gêm bêl-droed ar y teledu, eu breichiau wedi'u croesi. Nid timau lleol oedd yn chwarae neu fe fyddai'r lle'n orlawn, gyda phawb yn ysu am grasfa.

Do'n i ddim yn gallu gweld y dêt nac unrhyw un tebyg i'r disgrifiad. Doedd gen i ddim llun y tro hwn felly roedd yn rhaid i fi geisio dyfalu pwy oedd e. Ar y ffurflen, ble roedd e'n gofyn am lun, roedd y geiriau: 'Llun i ddod'. Roedd gen i ddisgrifiad, 'Taldra arferol; maint arferol' ac enw: John Smith. A dywedodd hefyd y byddwn i'n ei adnabod am y byddai'n yfed hanner o lager.

'Dyw e ddim yn enw cyffrous iawn,' dywedais wrth Beth pan ddarllenodd hithau ei ddisgrifiad i fi.

'Paid â bod yn ddwl,' dywedodd. 'Faint yw dy oedran di? Deuddeg?' Yna fe sylweddolodd beth roedd hi newydd ei ddweud ac fe chwarddodd y ddwy ohonon ni.

Doedd gan John Smith ddim enw cyffrous ond ro'n i'n eitha hoffi'i broffil e. Doedd e ddim yn swnio fel pe bai'n ceisio creu rhyw argraff anhygoel. Roedd e'n swnio'n berson normal a'i neges yn swnio'n ddoniol yn hytrach na cheisio bod yn ddiddorol. Penderfynodd Beth y dylwn i roi cyfle iddo. Allwn i ddim credu ei fod e wedi trefnu i ni gwrdd yn y Llew.

'Mae'n rhaid mai rhywun lleol yw e,' dywedodd Beth.

'Ie,' dywedais, gan ddechrau poeni. 'Ond pwy?'

'Dwi ddim yn meddwl 'i fod e'n dy nabod di,' dywedodd Beth, 'neu fydde fe byth wedi gofyn i ti am ddêt.'

Blinciais arni.

'Ar y We, dwi'n feddwl,' atebodd yn gyflym. 'Achos tase fe'n dy nabod di mi fydde fe wedi gofyn i ti yn dy wyneb.'

Cerddais at y bar, ond doedd neb yno. Teimlais fy mhoced yn gyflym er mwyn dod o hyd i'r papur deg punt. Y tu fewn i'r papur roedd jôc arall gan Beth.

Cnoc Cnoc
Pwy sy' 'na?
Bethan.
Bethan pwy?
Beth-an y byd sy'n bod?

Roedd llawer o bethau'n bod ar y foment honno, a minnau ar fy mhen fy hunan. Roedd hyd yn oed ffrindiau anweledig Dai yn cael mwy o sylw na fi.

Yna, cerddodd Ifor i'r bar o'r cefn.

'Haia, Gwen,' dywedodd, gan wenu. Teimlais fy stumog yn troi ac ro'n i'n difaru llowcio fy swper ar y fath hast. 'Ti'n edrych yn ffantastig.'

'Diolch,' dywedais, gan syllu ar yr arian yn fy llaw gyda 'ngwallt yn cwympo dros fy wyneb. 'Ym . . . ga i wydraid o win, plîs?' gofynnais iddo o du ôl i'r gwallt. Cododd ei aeliau.

'Ddim yr un peth ag arfer, 'te?' gofynnodd.

Ysgydwais fy mhen. Dwi ddim yn siŵr pam,

ond doedd *Bacardi Breezer* ddim fel petai'n gweddu i'r noson gyntaf.

'Sai'n gweld ti fan hyn fel arfer ar nos Fawrth,' dywedodd Ifor. 'Mae'n neis cael wyneb pert i fywiogi tipyn ar y lle 'ma.' Ddywedais i ddim byd am eiliad, dim ond edrych lawr ar y bar drwy'r gwin melyn yn siglo ac yn symud. Dyna sut ro'n i'n teimlo'r foment honno.

'Na, wel . . .' arhosais am ennyd. Am ryw reswm do'n i ddim eisiau dweud wrth Ifor mod i'n aros am ddêt. Ond roedd rhaid i mi ddweud, achos pan fyddai John Smith yn ymddangos byddai'n dod i wybod beth bynnag. 'Mae dêt 'da fi,' dywedais, gan sipian y gwin yn betrus. Do'n i ddim yn hoffi yfed gwin, beth bynnag. Disgwyliais i Ifor chwerthin neu edrych yn syn pan ddywedais i wrtho, ond ymatebodd e ddim.

'O's e?' dywedodd ymhen tipyn.

'O's,' atebais innau. Aeth ychydig eiliadau heibio ac yna edrychodd fel pe bai'n mynd i ddweud rhywbeth arall, ond gwaeddodd Janet arno o ochr arall y bar a chwifio'i gwydr peint. Gwenodd arna i a wincio.

'Paid symud,' dywedodd wrtha i, cyn mynd draw ati. Sylweddolais mod i'n gobeithio na fyddai John Smith yn dod i'r bar tan i Ifor orffen gweini ar Janet.

Edrychais ar y cloc y tu ôl i'r bar. Roedd hi wedi wyth o'r gloch. Roedd John Smith ddeuddeg munud yn hwyr. Popeth yn iawn, deuddeg munud. Gallai hynny olygu ychydig o draffig falle, neu ei fod e wedi colli allweddi'r drws ffrynt. Daeth Ifor nôl ataf cyn gwasgu ychydig o rifau ar y til a gollwng arian Janet i mewn iddo.

'Diolch am y ddiod, Jan,' gwaeddodd ar ei hôl hi. 'Ga i hanner o lager 'da ti.' Gwyliais ef yn arllwys y lager iddo'i hunan. Sylwais fod ganddo freichiau neis.

'Ti'n gwbod,' dywedodd mewn llais isel, wrth iddo arllwys ei ddiod. 'Mae'n rhaid bod 'i gŵr hi'n fachan go sbesial i fynd i'r gwely 'da menyw fowr fel Janet. Mae hi'n siŵr o fod yn fenyw neis iawn – ond mae'n rhaid bod gan Emrys gellle fel haearn.' Dechreuais i chwerthin wrth i mi lyncu ychydig o win, ac fe saethodd mymryn ohono allan. Sychais fy ngheg gyda chefn fy llaw gan obeithio nad oedd Ifor wedi sylwi arna i'n driblan.

'Dyw e ddim ma 'to 'te? Y dêt?' gofynnodd Ifor, gan edrych o gwmpas y bar.

'Nagyw,' atebais innau, gan godi fy ysgwyddau. 'Mae e bach yn hwyr, dwi'n meddwl. Ond fe ddyle fe ddod. Doedd e ddim yn swnio fel hen bwrs o foi.'

63

'Na?' dywedodd Ifor gan wenu. 'Dwi'n falch.' Roedd y llawr tu ôl i'r bar ryw ddwy fodfedd yn uwch na'r tu blaen, a phan oedd e y tu ôl i'r bar roedd Ifor ychydig yn dalach na fi. Ond pan ddaeth draw i gasglu gwydrau sylwais ei fod e'r un taldra â fi, a phan oedd e'n siarad â fi ro'n i'n gallu edrych i fyw ei lygaid. Fe oedd y person cyntaf i fi gwrdd ag e oedd â llygaid gwyrdd go iawn. Nid brown na llwyd, ond gwyrdd llachar, fel gwaelod potel gwrw. Roedd ganddo lygaid ffantastig.

'Ti eisie un arall?' gofynnodd. Edrychais i lawr. Ryw ffordd ro'n i wedi gorffen y gwin. Dyna pam do'n i ddim yn gallu teimlo fy nhafod. Edrychais yn gyflym ar y cloc eto, ac roedd hi bron yn hanner awr wedi wyth. Erbyn hyn roedd hi'n edrych yn debycach bod car John Smith wedi torri i lawr, neu ei fod e wedi cwympo lawr twll y lifft.

'Ocê,' dywedais, gan edrych yn gyflym dros fy ysgwydd a theimlo faint o newid oedd gen i yn fy mhoced. 'Ga i un arall ac os nad yw e 'ma erbyn . . .'

'Ga i hon,' dywedodd Ifor, gan estyn potel felen *Bacardi Breezer* i mi. Fy hoff un.

'Diolch,' dywedais a gwenu arno wrth iddo fe roi gwelltyn yng ngwddf y botel. Ro'n i'n falch ei fod e'n cofio beth dwi fel arfer yn yfed.

Cofiwch chi, ei waith e yw cofio beth mae ei gwsmeriaid ffyddlon yn yfed, ond ro'n i'n falch ta beth. Mae'n neis gwybod bod rhywun yn cofio rhywbeth sbesial amdanoch chi.

'Dwi ddim yn deall,' dywedodd Ifor gan bwyso'i ên ar un benelin ar y bar ac edrych arna i, 'pam wyt ti'n neud yr holl ffys 'ma am y We? Ti'n fenyw bert iawn, Gwen. Mae'n rhaid bod rhywun eisie mynd mas 'da ti drwy'r amser! Dwi'n gweld dynion yn edrych arnat ti bob nos Wener.' Dechreuais deimlo'r croen ar fy wyneb yn poethi eto.

'Na, dyw hynny ddim yn wir,' dywedais. 'Mae Siw yn dweud achos bo fi ddim yn rhoi'r *vibes* iawn. Ond dwi'n meddwl bod pawb yn edrych ar Siw ta beth, heb sylwi arna i o gwbwl. A ta beth, hyd yn oed se rhywun yn gofyn i fi fynd mas 'da nhw . . .' Oedais. Doedd gen i ddim syniad faint oedd Ifor yn 'i wybod amdana i a faint ro'n i eisiau iddo fe wybod. 'Mae'n bwysig i fi mai dim jyst *one-night stand* yw e.'

'Achos dy ferch, ti'n feddwl?' gofynnodd Ifor.

'Ie,' dywedais. Roedd e'n amlwg yn gwybod ychydig mwy amdana i nag o'n i'n feddwl.

'Achos Beth, a hefyd achos fi. Dwi . . . eisie rhywbeth fydd yn dda.'

'Dwi'n gwbod be ti'n feddwl,' dywedodd

Ifor. 'Ti eisie dod i nabod dyn yn dda cyn i bethe droi'n ddifrifol. Dwyt ti ddim eisie i ryw fachan ofyn i ti fynd mas 'da fe a gweld shwt fydd pethe'n mynd ar y noson. Rwyt ti eisie gwbod ei fod e'n fachan go iawn cyn i bethe fynd yn rhy bell.'

'Odw,' dywedais, gydag ychydig o syndod. Roedd e'n gwybod beth ro'n i'n ei feddwl.

'Finne 'fyd,' dywedodd, a fflachiodd rhyw gochni ar draws ei wyneb. 'Gyda merched wrth gwrs.' Chwerthin wnes i a chwerthin wnaeth Ifor hefyd.

'Felly – shwt mae'r We yn dy helpu di i neud 'na?' gofynnodd i fi. 'Achos, os odi e'n gweithio i ti, falle dylwn i roi tro arni.'

'Wel, mae'r person rwyt ti'n cwrdd . . .' Edrychais ar y cloc unwaith eto, '. . . i fod i gwrdd, yn gorfod dweud rhywbeth amdanyn nhw'u hunain ac rwyt tithe'n gorfod neud yr un peth. Dyw e ddim fel tynnu rhyw foi ti newydd gwrdd ag e ar nos Wener. Mae 'da ti ryw fath o syniad o'r person o flaen llaw.' Gwenais a chodi fy ysgwyddau. 'O leia dyna sy fod i ddigwydd, ond dyw e ddim wedi gweithio i fi 'to.'

'Glywes i.' Edrychodd Ifor arna i gyda'r llygaid gwyrdd na. 'Dwyt ti ddim yn meddwl weithiau y dylet ti adael i dy deimladau dy arwain di?' gofynnodd.

Weithiau roedd sŵn ei lais yn fy ngwneud yn fyr fy anadl, ac es i mewn i 'mhoced i nôl y pwmp, cyn sylweddoli nad yr asthma oedd yn gwneud i 'nghalon i rasio.

'Ym . . .' dywedais, gan edrych lawr ar y bar unwaith eto, 'na . . .'

Edrychais o gwmpas y bar hanner gwag unwaith eto. 'Wel, mae'n edrych yn debyg iawn bod John Smith ddin yn mynd i ddod,' dywedais, gan orfodi fy hunan i edrych i fyny. 'Ac roedd e'n swnio mor addawol.'

'Oedd e?' gofynnodd Ifor.

'Oedd,' dywedais. 'Roedd e'n swnio'n . . . neis, ti'n gwbod. Person digon teidi, fel pe bai e ddim yn esgus bod yn rhywun arall. 'Na pam dwi ddim yn gwrando ar fy nheimladau. Dwi wastad yn anghywir.'

''Sneb wastad yn anghywir,' dywedodd Ifor.

Wrth i fi wisgo fy siaced edrychais o gwmpas y bar, yn gobeithio o hyd y byddai John Smith yn ymddangos ar ôl dianc o grafangau'r *aliens*. Ond roedd e dal heb gyrraedd wrth i fi gau'r botwm olaf.

'Wel, hwyl te,' dywedais wrth Ifor.

'Gwen,' dywedodd ac estyn ei law ar draws

y bar a gafael yn fy mysedd. 'Drycha, dwi'n sori . . .'

'Pam?' gofynnais iddo, gan edrych ar ei fysedd yn dal fy rhai i. 'Dim dy fai di yw e mai rêl pwrsyn o fachan yw John Smith, wedi'r cwbwl!' Gollyngodd ei afael a syrthiodd fy llaw i lawr wrth fy ochr fel carreg.

'Dwi'n sori bod e heb ddod,' dywedodd Ifor, gan swnio'n wirioneddol flin, cyn ychwanegu, 'a hen dwpsyn yw e, pwy bynnag yw e.'

'Diolch, Ifor,' dywedais, gan deimlo'n sydyn nad o'n i eisiau gadael.

'Dwi'n falch na ddaeth e, cofia,' dywedodd Ifor. 'Dwi'n falch bod y ddau ohonon ni wedi cael cyfle i siarad, er mwyn dod i nabod ein gilydd yn well.'

Cyn i fi fedru ateb galwodd Janet arno o ben arall y bar, gan siglo'r gwydr peint yn yr awyr.

'Hwyl,' dywedais eto, ond roedd Ifor ym mhen arall y bar erbyn hynny.

Wrth i fi gamu allan o awyr gynnes, fyglyd y dafarn i oerni'r nos, meddyliais dros ddigwyddiadau'r noson. Sylweddolais nad o'n i'n teimlo'n drist nac yn grac am nad oedd John Smith wedi dod. A dweud y gwir, ro'n i'n reit falch. Erbyn i fi gamu o'r lifft ac agor drws y fflat, penderfynais mod i wir yn ffansïo Ifor. Ac roedd rhywbeth bach arall yn fy mhlagio i hefyd. Roedd y rhywbeth bach hwnnw'n dweud wrtho i ei fod e hefyd yn fy ffansïo i. Meddyliais am y pethau ddywedodd e a sut roedd e wedi aros gyda fi. Ond do'n i ddim eisiau meddwl gormod am hynny. Rhag ofn i fi gael siom eto.

Pennod 9

'Ti'n edrych yn hyfryd,' dywedodd Beth wrtha i ar garreg y drws. Fe geisiais i symud ond doedd fy nhraed ddim eisiau camu draw tuag at y lifft. Do'n i ddim wedi teimlo mor wael â hyn ar y tri dêt diwethaf. Ond do'n i ddim wedi poeni rhyw lawer amdanyn nhw chwaith.

'Ti'n edrych yn lyfli,' dywedodd Mam, gan lwyddo i wenu a chrychu'i thalcen ar yr un pryd. 'Gobeithio bod hwn yn werth yr ymdrech.'

'Dwi'n meddwl y bydd e,' dywedodd Beth. 'Mae 'da fi ryw deimlad rhyfedd, ac mae dy sêr yn dweud y bydd "rhywbeth pleserus yn digwydd fydd yn newid popeth".'

Roedd fy nhraed yn dal i wrthod symud.

'Cer mlaen 'te!' dywedodd Beth yn ddiamynedd, gan fy ngwthio'n ysgafn. Cerddais yn ansicr ar draws llawr llyfn y coridor yn fy sgidiau uchel.

'Hwyl 'te,' dywedodd Mam, gan droi nôl i'r fflat wrth i gerddoriaeth *Pobol y Cwm* ddechrau.

'Fe gerdda i draw i'r lifft gyda ti,' dywedodd

Beth. Plethodd ei braich drwy fy un i wrth i ni gerdded yr ychydig gamau i'r lifft, a gwasgodd y botwm i fynd lawr.

'Bydd popeth yn iawn,' dywedodd gan gyffwrdd â 'mraich yn ysgafn, 'sdim eisie i ti fod yn nerfus.'

'Dwi'n iawn,' dywedais, gan edrych arni hi. 'Ond falle arhosa i gartre wedi'r cwbwl.'

Llithrodd drysau'r lifft ar agor.

'Paid â bod yn ddwl,' dywedodd Beth, a 'ngwthio i'r cyfeiriad cywir. Camais i mewn i'r lifft a throi i edrych arni hi, fy mys yn gwasgu'r botwm 'drysau ar agor'.

'Caru ti, Beth,' dywedais, gan deimlo'n sydyn bod angen dweud wrthi. Rholiodd ei llygaid.

'Ocê, ocê,' dywedodd. 'Nawr, cer!'

'Iawn,' dywedais, gan ddal y botwm 'drysau ar agor' o hyd. Gwenodd Beth arna i.

'Hwyl, Mam!' dywedodd gan wasgu'r botwm i fynd lawr.

Tynnais y bys oddi ar y botwm a llithrodd y drysau ar gau. Dechreuais deimlo'r lifft yn mynd lawr. Heblaw am Beth, dwi ddim yn meddwl y byddwn i wedi mynd i mewn i'r lifft. Hi yw'r un sydd wastad yn fy ngorfodi i gymryd un cam ymlaen, yn fy nghadw i fynd ac yn fy ngorfodi i fyw.

Ro'n i'n arfer trio dychmygu, yn syth ar ôl i Alan adael, sut fywyd fyddai 'da fi taswn i heb gael Beth mor ifanc, ond roedd yn amhosib dychmygu. O'r foment gyntaf i mi ei dal yn fy mreichiau, hi oedd fy mywyd.

Mae'n rhyfedd meddwl pe bai pethau heb ddigwydd fel y gwnaethon nhw, taswn i wedi gwneud ymdrech yn yr ysgol ac wedi sefyll yr arholiadau, fyddwn i byth wedi cwrdd ag Alan. Fyddwn i byth wedi bod yn feichiog a minnau ond yn bymtheg oed.

Ond wnes i ddim ymdrech na sefyll yr arholiadau. Yn lle hynny fe syrthiais mewn cariad â Rhys Edwards.

Pennod 10

Ro'n i dros fy mhen a 'nghlustiau mewn cariad
â Rhys Edwards. Roedd 'na rywbeth amdano fe
oedd yn gwneud i 'mola droi wyneb i waered.
Roedd e mor hyderus a lysh. Dyna oedd y gair
ro'n i'n ei ddefnyddio bryd hynny. Roedd Rhys
Edwards yn lysh.

Ond nid dim ond fi oedd mewn cariad ag e.
Roedd pob merch yn yr ysgol yn ei ffansïo fe,
ac roedd e'n gwybod hynny. Ro'n i'n gwybod
doedd dim gobaith 'da fi i fynd mas 'da fe.
Ond ro'n i'n dal i freuddwydio amdano fe,
cofiwch. Ro'n i'n arfer breuddwydio cymaint
amdano fel roedd rhaid i fi binsho fy hunan
yn galed pan ofynnodd i mi fynd mas 'da fe.

'Fi?' gofynnais iddo, gan edrych dros fy
ysgwydd i weld a oedd e'n siarad â rhywun
arall.

'Ie,' dywedodd, gan wenu arna i. 'Ti'n bert
iawn. Dere i gwrdd â fi lawr yn y parc ar ôl
ysgol. Ewn ni am wac fach. Ond paid dweud
wrth neb 'to, ocê? Cyfrinach ni'n dau fydd e
am nawr.'

A ddywedais i ddim wrth neb mod i'n cwrdd

â Rhys Edwards, ddim hyd yn oed wrth Siw, achos ro'n i'n siŵr taswn i'n mynd i gwrdd â fe mai jôc fyddai'r cyfan. Taswn i'n mynd i'r parc byddai'r lle yn wag, neu'n waeth fyth, yn llawn o'i ffrindiau yn gweiddi ac yn chwerthin. A byddai Siw yn meddwl yr un peth hefyd, ac felly ddywedais i ddim wrthi hi am fy mod i eisiau i bethau fynd yn dda. Wrth edrych nôl mae'n siŵr mod i wedi darllen gormod o'r cylchgronau 'na i ferched ifanc lle mae'r ferch dawel, blaen bob amser yn cael snog gyda'r pishyn yn y disgo. Ro'n i'n arfer credu bod diweddglo hapus fel 'na yn gallu digwydd go iawn.

Pan gyrhaeddais i'r parc roedd e'n eistedd ar y siglen yn disgwyl amdana i, a dwi'n cofio teimlo'n ofnus am fy mod i mor hapus.

'Iawn?' gofynnodd.

'Odw,' atebais innau.

Safodd.

'Ti moyn bod yn gariad i fi?' dywedodd.

'Ocê,' dywedais. Doedd e ddim yn union fel roedd pethau'n digwydd yn y cylchgronau 'na, ond dyma'r peth mwyaf cyffrous i unrhyw un ddweud wrtha i yn fy mywyd.

'Dere mlaen 'te,' dywedodd yntau. Gafaelodd yn fy llaw a'm harwain i gefn y parc lle roedd ychydig o goed. Pan gyrhaeddon ni yno fe welais i ei fod e wedi gosod blanced ar ben y dail crin. Syllais i arno fe.

'Pam bod hwnna 'na?' gofynnais.

'Dere mlaen,' dywedodd e. Ac fe gusanodd fi.

Roedd Rhys Edwards yn gallu cusanu'n dda. Do'n i erioed wedi cael fy nghusanu o'r blaen a do'n i ddim yn siŵr sut brofiad fyddai e. Ond roedd e'n cusanu'n hyfryd. Teimlais wres yr haul yn machlud ar fy mochau. Fe gusanon ni am amser hir cyn i unrhyw beth arall ddigwydd.

'Dwi wedi ffansïo ti ers oesoedd,' dywedodd Rhys Edwards, gan roi ei law ar fy mron. 'Alla i . . .?' gofynnodd i mi.

Ac fe adawais iddo fe wneud am ei fod e'n dyner ac yn addfwyn ac am fy mod i eisiau iddo fe wneud. Roedd ei ddwylo'n crynu wrth iddo fe agor botymau fy nghrys, a phan dynnais i fy mra roedd yr olwg ar ei wyneb yn gwneud i mi deimlo'n brydferth. Gofynnodd hefyd am gael gwneud pethau eraill. Cytunais am fy mod i'n hapus. Yn hapus i gael Rhys Edwards yn cusanu ac yn cyffwrdd â fi wrth i ni orwedd ar y blanced yng ngwres y machlud haul. Gofynnodd i fi o'n i'n gariad go iawn iddo fe. Roedd e'n swnio fel tase fe'n pryderu mod i'n mynd i newid fy meddwl.

'Odw, odw,' sibrydais. Dywedodd ei fod e eisiau 'gwneud e' gyda fi ac ro'n i'n gwybod beth oedd e'n ei feddwl. Dywedodd y byddai'n ofalus iawn a fyddai dim rhaid poeni achos doedd neb yn mynd yn feichiog y tro cyntaf. Dywedodd ei fod e'n fy ngharu i.

Sai'n meddwl mod i'n credu hyd yn oed bryd hynny ei fod e'n wir, ond doedd dim ots 'da fi achos ro'n i'n ei garu fe ac yn caru'r foment roedd y ddau ohonon ni'n rhannu, â'r haul ar ein croen a'n breichiau o gwmpas ein gilydd. Ro'n i eisiau iddo fe ddigwydd.

Dywedais i ocê.

Roedd y rhyw drosodd bron cyn iddo fe ddechrau a dwi ddim yn cofio llawer amdano fe, dim ond bod rhyw botel bop blastig yn sticio mewn i 'nghefn a bob tro y byddai Rhys yn symud ei ben byddai'r haul yn tywynnu yn fy llygaid ac yn gwneud i fi eu cau nhw. Ond doedd dim ots 'da fi achos doedd y rhyw ddim yn bwysig i fi. Y peth oedd yn bwysig i fi oedd teimlo'n sbesial a theimlo bod rhywun wir yn fy addoli i, a dwi ddim yn meddwl mod i wedi teimlo'r fath beth ers hynny, ddim hyd yn oed pan o'n i'n hapus gydag Alan. Ar ôl i bopeth orffen rhowliodd Rhys oddi arna i a'm tynnu tuag ato fel bod 'mhen i ar ei frest. Gwrandawais ar ei galon yn curo. Weithiau, bydda i o hyd yn breuddwydio amdano yn yr ychydig eiliadau cyn i fi ddeffro yn y bore – Rhys yn gorwedd arna i ac yn anadlu yn fy ngwallt. A dwi'n cofio teimlo mor hapus, a bod rhywun yn poeni amdana i.

Dyna pam roedd digwyddiadau'r diwrnod wedyn mor ofnadwy ac yn anodd i'w deall.

'Ffantastig,' dywedodd Rhys yn gyntaf. Gorweddon ni fel 'na am amser hir tan i'r haul golli'i wres a thywyllodd yr awyr a helpodd Rhys Edwards i fi wisgo a cherdded adre gyda fi.

'Wela i di fory,' dywedais, gan ddisgwyl iddo fe fy nghusanu i.

'Dwi'n rîlî hoffi ti, Gwen,' dywedodd Rhys yn lle hynny, a mynd adre.

Gorweddais ar ddihun drwy'r nos yn teimlo'n hapus a chyffrous. Meddyliais y byddai popeth yn newid o'r foment honno ymlaen a bod y rhamant ro'n i wedi breuddwydio amdano yn dod yn wir. Fi fyddai cariad Rhys Edwards a byddai pawb yn fy hoffi i eto.

Ond erbyn y bore wedyn roedd yr holl hanes yn dân o gwmpas yr ysgol, mod i wedi cysgu gyda Rhys Edwards.

'Mae Rhys Edwards yn dweud bod ti'n ffwcio am bunt,' dywedodd Dylan Jones. 'Mae pum deg ceiniog 'da fi – dere â *blow job* i fi!'

'Cau dy ben,' gwaeddais arno fe. 'Dim dyna beth . . . cau dy ben!' Gwelais Rhys yn cerdded aton ni.

'Rhys,' dywedais, 'dwed wrthyn nhw!'

'Ooooo, Rhys!' llafarganodd Dylan a'i ffrindiau.

'Dwed wrthyn nhw bod ni'n mynd mas 'da'n gilydd!' plediais. Edrychodd Rhys ddim arna i, dim ond cerdded ymlaen.

'Rhys!' dywedais, gan deimlo fy mola'n troi. 'Dwed wrthyn nhw bod ni'n mynd mas 'da'n gilydd!'

Trodd Rhys ataf a gwenu'n llydan.

'Mae 'da ti gorff fel Ferrari, ond wyneb fel pen-ôl bws,' dywedodd.

Ro'n i'n teimlo fel pe bai e wedi 'mwrw i, ac mewn ffordd ro'n i'n dyheu iddo wneud. Achos am weddill y diwrnod hwnnw a'r diwrnod wedyn ac am yr holl ddiwrnodau oedd gen i ar ôl yn yr ysgol tan i mi droi un deg chwech ac yn gallu gadael y lle am byth, byddai unrhyw beth wedi bod yn well na'r celwyddau a'r storïau a ddywedodd Rhys amdana i. Byddai unrhyw beth wedi bod yn well na gorfod darllen ar wal y toiled am beth ro'n ni i fod wedi'i wneud gydag e.

Beth oedd yn gwneud pethau'n waeth oedd mod i'n dal mewn cariad â Rhys. Roedd rhan ohono i'n dweud ei fod e hefyd yn teimlo'r un fath â fi ar ôl beth wnaethon ni. Ond doedd e ddim yn gallu dweud hynny, felly nid ei fai e oedd e mewn gwirionedd. Buodd fflam Rhys yn llosgi am amser maith.

A dweud y gwir, ro'n i dal mewn cariad ag e y diwrnod y gwelais i Alan am y tro cyntaf.

Pennod 11

Sefais y tu allan i'r bar.

Er gwaetha'r awel oer roedd fy wyneb yn teimlo'n boeth. Arhosais am eiliad wrth y drws oedd yn arwain i'r bar. Stwffiais 'y mysedd i mewn i 'mhocedi er mwyn cadw'n gynnes. Teimlais ddarn o bapur yno. Gwenais wrth ei dynnu allan, ei agor a'i ddarllen yn y golau oedd yn dod trwy ffenest y drws.

> *Pa fwyd bydd doli'n 'i fwyta ar Noson Tân Gwyllt?*
> *Barbie-ciw!*

Ceisiais wenu ond do'n i ddim yn gallu. Crynais a theimlo – fel y byddai Mam yn dweud – fel se rhywun wedi cerdded ar draws fy medd. Tynnais hem fy sgert i lawr a fflicio 'ngwallt dros fy ysgwyddau.

Cerddais i mewn i'r bar.

Y person cyntaf welais i oedd Ifor y tu ôl i'r bar yn siarad â rhyw fenyw. Yn gwenu ac yn jocian gyda hi yn union fel roedd e'n gwneud gyda fi.

'A fodca ac oren i tithe hefyd,' dywedodd

wrthi a wincio. Edrychodd i fyny a 'ngweld i'n sefyll yno.

'Haia Gwen,' gwaeddodd. Ond cyn i fi fedru ateb teimlais fraich yn plethu drwy fy un i.

'Haia!' meddai Nia'n gyffrous. Tynnodd fi o ddrws y dafarn i'r man tawel ar bwys toiledau'r menywod. Roedd Siw yn sefyll yno, un goes yn syth, y llall wedi plygu, fel bod ochr ei phen-ôl yn sticio allan wrth iddi bwyso'n erbyn y bar. Gwenodd pan welodd hi fi.

'Ti'n edrych yn grêt, bêb,' dywedodd, gan dynnu fy siaced a 'nhroi o gwmpas. Wrth i fi droi gwelais Ifor, yn tynnu topiau'r poteli *Bud* ac yna eu gosod mewn llinell syth ar y bar.

Roedd Ifor yn gweithio. Do'n i ddim yno i gwrdd ag Ifor. Ro'n i wedi bod yn gobeithio ac wedi dechrau credu go iawn mod i'n mynd i gwrdd ag Ifor a nawr ro'n i mor siomedig. Teimlais 'y nghalon yn suddo.

'Reit,' dywedais, gan deimlo'n hen ac yn flinedig yn sydyn. 'Mewn â ni.'

'Mewn munud,' dywedodd Siw. Edrychodd ar Nia. Roedd honno'n cnoi ei gwefus. 'Gwranda, ti'n nabod y boi 'ma. Dwyt ti ddim wedi'i weld e ers amser hir. Ers amser hir, hir . . .' Agorais fy ngheg.

'Dim Alan yw e,' dywedodd Siw yn gadarn. 'Weles i'r boi 'ma y diwrnod o'r blaen ar y bws.

Roedd ei gar e wedi torri lawr. Dyw e ddim fel arfer yn mynd ar y bws. Pan ofynnodd e amdanat ti roedd e fel se fe fod i ddigwydd, iawn? Dywedodd ei fod e moyn dy weld di. A dwi eisiau i ti wybod bo fi wedi bod yn meddwl am hyn ers amser hir, Gwen. Roedd Nia a finne wedi bod yn siarad amdano fe. Roedd y ddwy ohonon ni'n meddwl y dylech chi gwrdd. Ro'n *i'n* meddwl y dylech chi gwrdd.'

'Cwrdd â phwy?' dywedais, gan ddechrau colli 'nhymer. Rhoddodd Siw ei braich ar fy ysgwyddau a mynd â fi ar hyd ochr y bar i ble roedd dyn mewn siwt dywyll yn eistedd, ei ben yn plygu dros ei ffôn symudol ac yn anfon neges destun.

'Rhys Edwards!' dywedodd hi.

Teimlais fel pe bai'r aer yn fy sgyfaint wedi diflannu a do'n i ddim yn gallu anadlu. Ro'n i'n teimlo'n bymtheg oed eto, 'y nghalon i'n neidio yn fy mrest wrth edrych arno yn eistedd ar y siglen yn y parc, yn aros amdana i.

Dylwn i fod wedi gesio mai fe oedd y dêt. Sen i'n gwbod, byddwn i wedi gallu stopio'r peth. Ond ro'n i'n gwybod mod i ddim eisiau gweld Rhys Edwards, achos o'r foment y sylweddolais mai fe oedd y dyn yn y siwt dywyll, ro'n i'n gallu teimlo'r holl gelwyddau a'r enwau cas yn fy mwrw unwaith eto fel clatsien oer yn fy wyneb. Ro'n i'n gallu gweld ei wyneb yn llawn casineb pan ofynnais iddo am help. Roedd yr holl deimladau ro'n i wedi'u claddu unwaith ac am byth yn dod i'r wyneb eto.

Ro'n i'n teimlo'n grac, yn ofnus ac yn llawn cywilydd. A do'n i ddim wedi teimlo fel 'ny ers y noson honno pan orffennais gydag Alan.

Yr Un ymosododd arna i, torri 'nhrwyn i a thair asen.

Roedd Alan wedi bod yn y dafarn.

'Swper yn barod,' dywedais, gan gofio edrych lawr. Ro'n i wedi deall ei bod hi'n well peidio edrych arno fe tan i fi wybod pa fath o hwyliau ocdd arno fe. Weithiau byddai'n rhoi ei freichiau o 'nghwmpas i a chusanu 'nghlust i, a byddwn yn gwybod bod popeth yn iawn. A phan roedd e'n hapus, dyna'r Alan ro'n i'n ei garu. Yn garedig ac yn gariadus. Yn ddoniol ac yn fêl i gyd. Ro'n i'n gwybod y byddai Alan yn dyner. Byddai'n fy nal fel darn o wydr gwerthfawr. Byddai'n gwneud i Beth chwerthin a chwerthin wrth ddarllen stori cyn iddi fynd i'r gwely. Hwn oedd yr Alan ro'n i'n ei garu, yr un do'n i ddim yn gallu ei adael.

Ond doedd Alan ddim fel 'na bob amser.

Weithiau byddai'n colli'i dymer, ac yn mynd yn wallgo. A phan gollodd ei dymer ddiwetha, roedd e wedi fy mwrw i. Dyma'r drefn yn ein tŷ ni. Weithiau byddai'n rhoi cusan i fi. Weithiau byddai'n rhoi blodau i fi. Weithiau byddai'n golchi'r llestri. Ac weithiau byddai'n fy mwrw i. Ond roedd Beth a finne'n dal i'w garu e. Roedd hi'n dair oed bryd hynny, a babi bach Dad oedd hi bob tamaid.

Dechreuodd y trais gydag ambell i glatsien nawr ac yn y man. Clatsio a gwthio. Yna, rhyw flwyddyn cyn y noson arbennig hon, dechreuodd Alan fy nyrnu i, yn galed yn fy mola. Nes i 'ngwynt ddiflannu i gyd. Ro'n i yn fy nyblau ar lawr y gegin yn ceisio tynnu anadl. Safodd ar bwys y drws yn edrych arna i. Lefodd e ddim y tro hwnnw. Ddywedodd e ddim ei fod e'n sori a'i fod e ddim wedi meddwl gwneud dolur i fi. Doedd e ddim yn fêl i gyd nac yn gariadus. Afaelodd e ddim ynddo fi na mwytho fy ngwallt. Aeth e mas a ddaeth e ddim nôl am ddeuddydd. Dyna'r tro cyntaf, ond nid y tro olaf, iddo fe roi crasfa i fi.

Pan dries i esbonio wrth Siw, doedd hi ddim yn deall.

'Fe fwrodd e ti,' dywedodd hi. 'Se dyn yn codi bys arna i, mas o 'ma fydde hi.'

'Ond dim fe sy'n bwrw fi go iawn,' dywedais. 'Fel arfer mae popeth yn grêt rhyngon ni.'

'Sdim rhaid i ti odde rhywun yn rhoi crasfa i ti er mwyn cael amser da nawr ac yn y man,' dywedodd Siw. 'Se fe wir yn dy garu di, fydde fe ddim yn cyffwrdd ynot ti. Mae'n rhaid i ti adael. Wyt ti wedi meddwl am Beth?'

'Mae e'n grêt fel tad,' dywedais. 'Mae e'n caru fi.'

'Mae e'n caru ti ac yn gallu gwneud hwnna i ti?' gofynnodd Siw yn synnu ac yn rhyfeddu. 'Cer i nôl dy stwff a dere i aros 'da fi nes i ni gael cyfle i sorto pethe mas yn iawn.' Ond do'n i ddim yn gwrando arni. Ro'n i'n ei garu fe o hyd.

Ond nid cariad oedd e ar y dechrau. Pan welais i fe'r tro cyntaf yn dadlwytho brics ar gyfer estyniad y bobl drws nesa ro'n i'n gwybod mod i ei eisiau fe. Ro'n i wedi gadael yr ysgol ers mis ac ar fy ffordd adre o'r siop gyda thorth o fara. Roedd hi'n boeth. Doedd e ddim yn gwisgo crys. Do'n i ddim wedi teimlo fel 'na o'r blaen. Dim cariad oedd e, ond chwant llwyr. Yn sydyn ro'n i eisiau gwybod sut deimlad fyddai gwasgu 'nghroen yn erbyn ei groen e. Roedd Alan yn hŷn na fi, bron yn ddau ddeg pump, ac ro'n i'n meddwl y byddai fy rhieni'n ei gasáu e. Ond roedd Alan yn gallu swyno unrhyw un. Fe syrthion nhw mewn cariad ag e bron cyn i fi wneud. Dwi'n gwybod yr union foment y sylweddolais mod i'n ei garu e. Pan ddywedais wrtho mod i'n feichiog. Rhoddodd ei law ar fy mola a dweud na fyddai byth yn 'y ngadael i. Dyna'r foment y dechreuais i ei garu fe'n iawn.

Y blynyddoedd cyntaf hynny yn y fflat gydag Alan a Beth oedd blynyddoedd gorau 'mywyd i. Ro'n i'n teimlo fel person go iawn gyda theulu go iawn. Ro'n i'n teimlo'n hapus ac yn ddiogel. Allwn i ddim gadael i'r teimlad yna fynd heb drio'i gael yn ôl. Felly pan ddaeth e nôl o'r dafarn, cadwais fy mhen lawr a gobeithio'r gorau.

'Ble mae Beth?' gofynnodd, ei eiriau'n fyr a chaled. Tynhaodd pob rhan o 'nghorff.

'Yn y gwely,' dywedais, mewn llais ysgafn. 'Wedi bod 'na ers oriau! Mae dy swper yn barod. Ti moyn lager gyda fe?'

'Pam wyt ti'n mynd mlaen a mlaen?' gwaeddodd. Ffrwydrodd wedyn, gan fwrw'r llestri ro'n i wedi'u gosod ar y bwrdd ar y llawr. 'Nag, nag, nag! 'Na'i gyd ti'n 'neud!'

Roedd e'n sefyll yn fy wynebu wedyn, ei geg yn greulon, a gwynt hen gwrw ar ei anadl. Pwysais yn ôl a theimlo unedau'r gegin yn gwthio i mewn i asgwrn fy nghefn.

'Dwi ddim,' dywedais, er mod i'n gwybod mai'r peth gwaethaf yn y byd oedd trio dweud rhywbeth. Roedd rhan ohono i'n gobeithio y byddai'r Alan arall, yr Alan ro'n i'n ei garu, yn clywed y llais ac yn cofio ei fod yn fy ngharu i hefyd. 'Dim ond dweud bod dy swper di'n barod wnes i.'

Gwenais arno.

Bwrodd cefn ei ddwrn ochr fy ngên. Cwympais. Ciciodd fi ddwywaith yn fy asennau gyda'i sgidiau trwm, gan wneud i fi besychu nes i'r aer ddiflannu o'm sgyfaint. Dwi'n cofio gallu gweld o dan yr oergell. Dwi'n cofio meddwl bod angen glanhau yno. Ro'n i'n gallu clywed Beth yn crio uwch sŵn y peiriant golchi.

Do'n i ddim yn mynd i wneud unrhyw beth wedyn. Ro'n i'n mynd i aros tan i bopeth orffen, tan i Alan orffen a mynd i'r gwely er mwyn i fi gael setlo Beth nôl i gysgu fel bob tro o'r blaen.

Ond wedyn fe wnaeth Alan rywbeth hollol wahanol.

Penliniodd wrth fy ochr.

'Dwyt ti ddim yn gallu clywed dy blentyn yn llefen? Ddyle pobol fel ti ddim cael plant o gwbwl,' dywedodd. Roedd ei lais yn dawel, bron yn sibrwd. 'So ti'n ffit i fod yn fam. Ddylwn i ddim fod wedi cyffwrdd ynot ti, yr hen ffycin hwren. Twyllest ti fi, dim ond i gael babi.' Poerodd y geiriau yn fy wyneb. 'Mae'n rhaid i rywun fagu'r plentyn 'na'n iawn. Mae'n rhaid i rywun roi gofal iddi rhag iddi hi dyfu lan i fod yn hen hwren fel ti.' Cododd ac edrych i lawr ar hyd y cyntedd.

'Ddangosa i iddi hi,' dywedodd, a cherdded mas o'r gegin.

Sai'n siŵr shwt, ond fe godais ar 'y nhraed. Roedd pob anadl fel cyllell yn fy mrest ac ro'n i'n gallu blasu'r gwaed yn 'y ngheg. Ro'n i'n gwybod, beth bynnag fyddai'n digwydd i fi, beth bynnag fyddai e'n gwneud i fi, fyddai Alan ddim yn cael gosod un bys ar Beth.

Dyna'r eiliad stopiais i ei garu fe.

'Na!' llwyddais i sgrechian. Roedd e wedi agor drws ei stafell wely ac roedd hithau'n eistedd yn y gwely yn dal ei thedi'n dynn. Roedd hi wedi stopio llefain. Roedd ei dagrau'n sgleinio yn ei llygaid. Ro'n i'n gallu teimlo'i hofn.

Neidiais ar ei gefn a'i dynnu nôl. Gwthiodd fi yn erbyn wal y cyntedd, a theimlais rywbeth arall yn cracio.

Trodd ac edrych arna i. Doedd yr Alan ro'n i wedi'i garu ddim i'w weld yn ei lygaid e. Dim ond casineb oedd i'w weld yno. A nawr roedd e'n bygwth Beth.

Clywais gnocio uchel yn ysgwyd gwydr y drws ffrynt.

'Be sy'n digwydd mewn fyn'na?' Mr Davies oedd yno, yr hen ddyn drws nesa. 'Dwi'n rhybuddio chi, dwi'n mynd i alw'r heddlu!' Roedd ei lais yn crynu. Roedd ofn arno ond fe gnociodd y drws eto.

Edrychais ar Alan ac aros yno. Fe gododd ei ddwrn unwaith eto.

Dyna pryd y torrodd fy nhrwyn.

Ro'n i'n disgwyl iddo fe roi clatsien arall i fi. Ond yn lle hynny, aeth am ddrws y ffrynt a'i daflu ar agor. Doedd Mr Davies ddim yno, ond ro'n i'n gallu clywed seiren yr heddlu yn sgrechian. Edrychodd Alan arna i am y tro olaf a rhedeg i ffwrdd.

Welais i mohono fe wedyn. Wnes i ddim hyd yn oed dwyn achos yn ei erbyn, er bod yr heddlu am i fi wneud. Do'n i ddim yn gallu wynebu hynny. Symudais i gartre at Mam a Dad. Arhosodd e yn yr ardal am dipyn wedyn yn ceisio dod nôl i 'mywyd i, ond do'n i ddim eisiau ei weld e. Es i ddim mas o gwbl ac roedd wastad rhywun gartre gyda fi. Cwpwl o fisoedd wedi hynny, daeth fy mrawd a thri o'i ffrindiau wyneb yn wyneb ag Alan wrth iddo adael y dafarn un noson. Fuodd e ddim yn hir cyn gadael yr ardal wedyn. Dwi'n meddwl ei fod e wedi symud i fyw i Abertawe.

Weithiau dwi'n trio meddwl am y blynyddoedd cynnar hynny gydag Alan. Dwi'n trio cofio'r amser da, fel pan aeth e â Beth a finne ar bicnic i ddathlu ei phen-blwydd cyntaf hi. Syrpreis bach. Ond alla i ddim. Yr unig beth alla i gofio yw bod y dyn ro'n i'n ei garu wedi torri 'nhrwyn i ac wedi ymosod arna i.

A dwi'n meddwl bod rhywbeth mawr yn bod arna i.

Pennod 12

'Mas o'r ffordd,' dywedais, a gwthio Siw wrth ruthro at ddrws y dafarn.

'Ble ti'n mynd?' gofynnodd, gan edrych yn syn. Ysgydwais 'y mhen ac edrych arni. Do'n i ddim yn gallu credu ei bod hi ddim yn gwybod pam ro'n i mor grac.

'Ro'n i'n meddwl mod i'n mynd i gwrdd â . . .' Stopiais cyn dweud enw Ifor. Ysgydwais 'y mhen, yn methu deall. 'Siw, dylet ti o bawb wybod beth 'nath Rhys Edwards i fi. 'Nath e 'mywyd i'n uffern. 'Nath e i fi feddwl bod Alan yn sant.' Gwthiais heibio i Siw unwaith eto a mynd dau gam pellach y tro hwn.

'Gwen, aros!' Gafaelodd yn fy mraich. 'Plîs. Gwranda arna i am eiliad. Ro'n i'n dwp. Dylen i fod wedi dweud wrthot ti o'r dechre pwy oedd e. Ond do'n i ddim yn meddwl y byddet ti'n dod 'ma set ti'n gwbod.'

'Ti'n blydi iawn fan 'na. Wrth gwrs fydden i ddim wedi dod.' Er mod i'n grac, ro'n i'n sibrwd. Do'n ddim eisiau tynnu sylw pobl. 'A dwi'n mynd gartre nawr. Mas o'r ffordd.'

Ond symudodd Siw ddim.

'Wedest ti wrtha i unwaith dy fod ti'n dal i feddwl am Rhys Edwards a shwt alle pethe fod wedi bod yn wahanol.'

Syllais yn geg agored arni.

'Naddo ddim!' dywedais.

'Do fe wnest ti,' dywedodd hithau. ''Na pam ro'n i'n meddwl . . .'

'Os wedes i 'na, ro'n i naill ai'n feddw rhacs neu wedi cael cnoc neu rywbeth. Sai'n cofio'i ddweud e.' Ysgydwais 'y mhen. Allwn i mo'i chredu hi.

Roedd pobl yn edrych arnon ni. Doedd hyd yn oed y gerddoriaeth uchel ddim yn gallu cuddio'r ffaith bod rhywbeth yn digwydd rhyngon ni.

'Gwen, cariad – 'set ti'n jest yn gallu siarad gyda fe 'te . . .'

'Alla i ddim credu bo' ti'n meddwl . . .' ro'n i'n dechrau colli pob rheolaeth.

'Gwranda,' dywedodd Siw, gan ddal ei llaw i fyny. 'Ddest ti byth i wbod a o'dd e'n dy ffansïo di go iawn, neu a oedd e wedi bwriadu gwneud ffŵl ohonot ti o'r dechre. Wel, dyma dy gyfle di.' Aeth llais Siw yn dawel. 'Drycha. Roedd e'n swnio fel se fe wir eisie dy weld ti. I roi popeth yn ei le. I gael dechre o'r newydd . . .'

''Na beth dwi wedi bod yn treial neud,' dywedais. 'Pan gyrhaeddais i yma heno, ro'n i'n meddwl mod i wedi neud hynny. Rhys Edwards o bawb? Siw! Ti off dy ben!'

'Ro'n i jest yn meddwl,' aeth Siw mlaen i siarad. 'Wel, dwi wedi gweld e'n digwydd ar y teledu. Ti'n gwbod, pan ma nhw'n cael pobol i wynebu beth sy wedi digwydd iddyn nhw. Mae'n helpu nhw i ddechrau eto.' Rhoddodd Siw ei llaw ar fy ysgwydd. Ysgydwais hi i ffwrdd. 'Os ei di draw at Rhys, fe allet ti ddweud wrtho fe shwt nath e i ti deimlo. Gallet ti neud iddo fe ddeall beth nath e i ti a shwt mae e wedi effeithio arnat ti ers 'ny.'

Edrychodd Siw yn gyflym drwy'r dorf nos Wener a llwyddais i gael cipolwg ar Rhys Edwards yn chwarae'n nerfus gyda'i ffôn symudol. 'Dwi'n meddwl ei fod e'n difaru. Dwi'n meddwl os ei di ato fe i siarad, byddi di'n teimlo'n well. Fe weli di fod e ddim tamed gwell na ti.'

'Dwi'n gwbod 'ny,' dywedais yn siarp.

'Wyt ti?' gofynnodd Siw. 'Go iawn?'

Ar y foment honno ro'n i'n ei chasáu hi ond ro'n i'n gwybod bod rhywfaint o wir yn beth roedd hi'n ddweud. Ers y prynhawn hwnnw yn y parc ro'n i wedi trio meddwl a oedd popeth ddigwyddodd yn freuddwyd a dim mwy. Ro'n i eisiau gwybod.

'Iawn, fe siarada i â fe,' dywedais wrth Siw.

'Wnei di ddim difaru,' dywedodd Siw, a gwenu.

'Na,' dywedais, 'ond fe fyddi di.' Ro'n i'n dal yn grac.

Pennod 13

'Rhys,' dywedais. Eisteddais lawr a gorfodi fy hunan i edrych arno. Y peth cyntaf sylwais i oedd ei fod yn colli'i wallt.

'Gwen!' gwenodd, ac edrych yn nerfus. 'Ti'n edrych yn gywir 'run peth. Ti'n edrych yn grêt. Alla i fynd i nôl rhywbeth i ti, drinc neu rywbeth?'

Ysgydwais 'y mhen ac edrych ar geg Rhys yn agor a chau ddwywaith cyn i unrhyw air arall ddod mas.

'Dwi'n falch bo' ti wedi dod,' dywedodd e.

'Pam y'n ni 'ma, Rhys?' gofynnais iddo. Do'n i ddim eisiau gwastraffu amser gyda mân siarad.

'Ro'n i'n meddwl bod Siw wedi dweud wrthot ti . . . ' dechreuodd, ac edrych yn ansicr.

'Dywedodd Siw mod i'n mynd ar ddêt,' dywedais innau.

Am eiliad ddywedodd Rhys ddim byd. Yr eiliad honno edrychais heibio pen Rhys a gweld Ifor yn chwerthin gyda grŵp o ferched wrth y bar. Doedden nhw ddim ond ychydig flynyddoedd yn hŷn na Beth. Gorfodais fy hun i edrych ar Rhys wrth iddo fe siarad.

'Dwi wedi bod yn meddwl lot amdanat ti, Gwen.'

'Wyt ti?' gofynnais. Roedd pob eiliad yn ei gwmni yn gwneud i fi deimlo'n fwy ac yn fwy crac. Ro'n i'n gallu teimlo fy mrest yn tynhau, fy anadl yn mynd yn fyrrach. Ro'n i eisiau fy mhwmp asthma, ond ro'n i'n ofni y byddai hynny'n gwneud i mi edrych yn wan.

'Y ffordd 'nes i dy drin di ar ôl . . . dwi'n sori.'

Ro'n i'n cnoi fy ngwefus yn galed nes ei bod yn brifo.

'Ti'n sori?' gofynnais iddo. Doedd y geiriau ddim yn swnio'n iawn. Roedd e'n swnio fel pe bawn i wedi cael syndod ei fod e'n teimlo'n flin. Mod i'n falch, bron.

Gwenodd Rhys gyda chysgod o'i hen wên. 'Odw,' dywedodd. 'Wir nawr. A dwi eisiau i ti wybod bod y pnawn hwnnw 'da ti – roedd e'n golygu lot i fi. Ro'n i wir yn dy hoffi di. Ro'n i moyn mynd mas 'da di. Ers oesoedd. Ro'dd y bois i gyd yn dy ffansïo ti, ond do'dd dim un ohonyn nhw moyn mynd yn agos atat ti achos . . . do'dd e ddim yn cŵl. Ond do'n i ddim yn becso am 'ny. Do'dd dim ots 'da fi am . . .'

Clywais fy hunan yn chwerthin yn siarp.

'Wel, 'na od,' dywedais. 'Achos sa i'n cofio pethe cweit fel'na.' Roedd fy llais yn gryfach nawr, yn swnio'n debycach i sut ro'n i'n teimlo tu fewn.

Plygodd Rhys ei ben ac ro'n i'n gallu gweld croen pinc ei ben yn disgleirio trwy ei wallt tenau.

"Na beth ro'n i wir moyn neud ond . . . do'n i ddim yn ddigon cryf,' dywedodd, gan edrych arna i o'r diwedd.

'Do't ti ddim eisiau mynd mas 'da fi 'te?' dywedais. 'Iawn, ro'n i'n disgwyl 'ny. Doedd e ddim yn ddiwedd y byd. Ond pam o'dd rhaid i ti neud 'y mywyd i'n uffern? Pam o'dd rhaid i ti ddweud yr holl bethe ofnadw 'na amdana i, Rhys? Beth wnes i i ti erioed?'

Doedd Rhys ddim yn gallu edrych arna i nawr.

'Dim byd,' dywedodd. 'Ond ro'dd rhaid i fi neud e, Gwen. Se'n i ddim wedi neud e, bydden nhw wedi troi arna i! Ti'n gwbod shwt mae plant yn gallu bod.'

Ddywedais i ddim byd. Do'n i ddim yn gallu ateb. Roedd Rhys Edwards yn meddwl ei fod e'n gallu sgubo i ffwrdd yr holl ddolur wnaeth i fi dros y blynyddoedd fel tase fe'n rhywbeth . . . hollol normal. Rhywbeth o'dd yn digwydd bob dydd. Roedd fy nistawrwydd yn sbardun iddo fe.

'Ti'n gweld, Gwen,' dywedodd, 'mae plant 'da fi nawr. Dwy ferch, Amy a Louise. Tase'r un peth yn digwydd iddyn nhw . . .' Ysgydwodd

Rhys ei ben. 'Dwi ddim yn gwbod beth fydden i'n neud. Dwi wedi dod 'ma heno i ofyn i ti . . . gofyn wnei di faddau i fi, Gwen?'

Roedd fel pe bai amser wedi rhewi am eiliad. Roedd y gwaed fel sŵn taranau yn 'y nghlustiau wrth i fi geisio deall beth roedd Rhys Edwards wedi gofyn i fi. Y foment honno, ro'n i eisiau i bopeth fod drosodd. Ro'n i eisiau iddo fe fynd ac i finnau gael mynd gartre at fy nheulu unwaith eto, a throi sŵn y teledu yn uchel a chau'r byd allan.

'*Whatever,*' dywedais yn swrth, gan geisio cadw'r teimladau cas o'm llais. Doedd dim ots 'da fi beth ro'n i'n ei ddweud, dim ond bod y cyfan drosodd. Do'n i ddim yn symud ymlaen o gwbl. Dim ond mynd nôl dros ryw hen hanes brwnt ro'n i'n trio bob dydd ei anghofio.

'Diolch,' dywedodd, gan estyn am fy llaw. 'Dwi'n teimlo lot yn well nawr. Galla i roi'r holl fusnes 'na y tu ôl i fi nawr.'

Tynnais fy llaw nôl yn gyflym rhag cyffwrdd â'i law e. Roedd holl sŵn y dafarn yn rhuthro o 'nghwmpas unwaith eto. Ro'n i wedi meddwl gadael i'r holl fusnes yma fynd, a bwrw mlaen â 'mywyd – ond allwn i ddim credu beth roedd Rhys newydd ddweud.

'Rwyt ti'n gallu symud mlaen, on'd wyt ti?'

gwaeddais arno wrth i fi godi. Stopiodd pawb siarad a syllu arna i. 'Beth amdana i, Rhys? Beth amdana i? Pryd ga i symud mlaen? Pryd fydda i'n stopio llefen yn y nos ar ôl breuddwydio am beth wnest ti i fi? Pryd alla i stopio poeni bob eiliad y bydd yr un peth yn digwydd i 'merch fach i? Pryd ga i anghofio amdanat ti a'r holl wancyrs bach trist eraill 'na a symud mlaen?' Codais y peint roedd e wedi bod yn ei yfed. 'Sai'n maddau i ti,' dywedais yn oeraidd. 'Dwi'n dy gasáu di.'

Taflais gwrw Rhys Edwards drosto.

Do, te wnes i. Allwn i ddim credu mod i wedi gwneud. Dwi hyd yn oed yn credu mod i wedi clywed y locals yn curo'u dwylo ac yn fy annog i wneud yr un peth eto.

Safodd Rhys mewn syndod am eiliad cyn neidio amdana i a cheisio gafael yno i.

'Yr hen ast,' gwaeddodd arna i.

Gwthiais e'n galed, yn galetach nag ro'n i'n credu y gallwn i, ac fe gwympodd dros ei gadair i'r llawr.

'Paid ti â 'nghyffwrdd i,' dywedais wrtho. 'Chei di ddim cyffwrdd ynddo i byth 'to.'

Yn sydyn roedd Ifor yno, yn sefyll rhyngo i a Rhys.

'Galwa'r heddlu,' dywedodd Rhys wrth Ifor. 'Na'th hi ymosod arna i.'

Symudodd Ifor ddim.

'Cer mas,' dywedodd Ifor. Roedd e'n swnio'n gyfeillgar ac yn bwyllog, ond ro'n i'n gwybod ei fod e o ddifri. 'Cer mas. Nawr!'

'Ond . . .' Edrychodd Rhys ar wyneb Ifor a chodi. Cododd ei siaced a'i ffôn a throi i ddweud rhywbeth arall wrtho i. Camodd Ifor yn agosach ato a phenderfynodd Rhys beidio dweud dim. Diflannodd drwy'r drws.

'Ti'n iawn?' gofynnodd Ifor i fi wrth i Rhys ddiflannu.

'Odw,' dywedais a rhedeg i doiledau'r merched.

'Wel?' Rhuthrodd Siw i mewn ar fy ôl i. Ro'n i'n dal 'y nwylo dan y tap dŵr oer. 'Shwd a'th pethe?'

Edrychais arni.

'Cer o 'ma !' dywedais yn grac wrthi. Ro'dd fy llais yn atseinio ar deils y toiledau. 'Ro'n i'n dy drystio di yn fwy na neb!'

Camodd Siw am nôl.

'Gwen, plîs!' dywedodd hi, gan ddal ei dwylo i fyny. 'Sori. Ro'n i'n dwp am drefnu'r dêt. Hollol dwp. Ond o'n i'n anghywir am bopeth?'

Rhwbiais y colur oedd wedi troi'n farciau mawr du o gwmpas fy llygaid. Ro'n i'n dal i grynu, yn hollol wyllt ond hefyd yn teimlo rhyw iwfforia anhygoel.

'Welest ti beth ddigwyddodd mas fyn'na?' gofynnais i Siw. 'Bues i bron â bod mewn ffeit achos ti! Iesu, Siw, roiest ti fi mewn yffarn o dwll a nawr ti'n meddwl bo' ti wedi neud ffafr â fi.'

'Wel, sori, os ti'n meddwl 'ny,' dywedodd Siw, yn poeni. 'Drycha, do, nes i ffycin cawlach o bopeth, ond fe weles i beth nest ti! Ro't ti'n *brilliant*!'

'O'n i?' dywedais. 'Achos do'n i ddim yn meddwl 'ny. Ar ôl beth wnes i i Rhys, dwi'n teimlo'n gymaint o fastard ag e.'

Ddywedodd Siw ddim byd am eiliad.

'Dwyt ti ddim,' dywedodd, gan gamu'n nes ata i a rhoi ei braich amdanaf. 'Ti'n berson cryf sydd ddim yn mynd i adael i unrhyw un wneud ffŵl ohonot ti byth eto. Ti'n deall? Ti'n filiwn gwaith mwy o werth na Rhys, Alan nac unrhyw un o'r wancyrs eraill 'na. Iesu, Gwen, dwi'n gwbod 'ny ers blynyddoedd. A ti'n gwbod 'ny nawr 'fyd, on'd wyt ti?'

Pwysais 'y mhen yn erbyn ysgwydd Siw am eiliad cyn edrych arni.

'Dwi'n meddwl mod i,' dywedais. 'Dwi wir yn meddwl mod i.'

'Ddylwn i ddim fod wedi codi dy obeithion di gyda'r busnes dêt 'ma. Pan weles i Rhys a meddwl am yr holl ddolur ro'dd e wedi neud i ti, ro'n i'n meddwl mai hwn oedd dy siawns di i wynebu fe. Cael dweud dy ddweud a symud mlaen. Dylwn i fod wedi bod yn onest gyda ti o'r dechre, ond es i'n rhy bell, fel arfer. So ti'n casáu fi, wyt ti?' gofynnodd Siw.

'Na, sa i'n casáu ti,' dywedais. 'Sa i'n casáu neb rhagor.'

'Tro nesa,' dywedodd Siw, 'dwi'n addo mod i'n mynd i gael dêt go iawn i ti.'

Meddyliais am Ifor wrth y bar yn fflyrtan gyda'r merched pert yna.

'Na,' dywedais, 'sa i'n mynd ar ragor o *blind dates*.'

'Beth?' edrychodd Siw yn siomedig.

'Ti'n iawn,' dywedais. 'Ro'n i'n mynd achos bod Beth moyn i fi neud. Ond dwi'n hapus fel ydw i. Sdim angen dyn arna i i fod yn hapus.'

'Wir?' gofynnodd Siw.

'Wir,' dywedais yn fwy cadarn nag ro'n i'n teimlo wrth i fi edrych yn y drych a rhoi lipstic ar 'y ngwefusau. Ro'n i'n dal i deimlo 'run peth am Ifor ond doedd dim angen i neb wybod hynny. Fy nghyfrinach i fyddai hynny, a'r peth gorau i'w wneud oedd aros i'r teimladau hynny ddiflannu'n ara bach.

'Dwi'n rhoi'r gorau i ddynion am byth.'

Gwnaeth hynny i mi chwerthin.

Cerddais draw at y bar ac aros fy nhro.

Roedd Siw a Nia'n dawnsio ynghanol y dafarn.

Roedd Siw yn dawnsio mor agos ag y gallai i Daniel Jones, gan ei bod hi wedi bod yn ei ffansïo ers oesoedd. Roedd Nia yno, yn siglo o ochr i ochr ac wedi cyrraedd y pwynt yn y noson lle roedd dagrau'n llifo ac roedd hi eisiau mynd adre at ei gŵr. Ro'n i'n gwybod y byddai, yn y deng munud nesaf, yn mynd draw at y ffôn wrth ddoiled y menywod a gofyn iddo ddod i'w nôl hi. Dwi ddim yn gwybod pam mae Nia'n defnyddio'r ffôn cyhoeddus yn hytrach na'i ffôn symudol. Ond mae hi wastad yn anghofio bod ganddi ffôn symudol pan mae hi wedi meddwi.

Edrychais ar staff y bar wrth aros i gael diod, ac ro'n nhw'n rhy brysur i sylwi mod i yno. Ro'n i wir yn edrych ymlaen at ddiod gynta'r noson ac yn gweddïo y byddai unrhyw un o'r staff heblaw Ifor yn dod draw ata i. Roedd e ym mhen arall y bar yn tynnu peints i dîm pêl-droed y dafarn, felly ro'n i'n citha saff.

'Hei, Ifor 'chan!' Ymddangosodd Iwan Jones wrth fy ochr a gweiddi lawr y bar. 'Ni bron â marw o syched lawr fan hyn!'

Edrychodd Ifor ar Iwan a gweld mod i'n sefyll yno. Plygodd i ddweud rhywbeth yng nghlust un o'r merched tu ôl y bar. Roedd e'n gwenu wrth gerdded tuag ata i.

'Dwi'n cael hoe fach am ddeg munud,' dywedodd wrth Iwan. 'Bydd Ann 'da ti nawr, iawn?'

Plygodd dros y bar ata i.

'Gymri di ddrinc 'da fi, Gwen?' gofynnodd.

Rhoddodd botel o *Bacardi Breezer* melyn wedi'i hagor ar y bar.

'Sdim rhaid i ti brynu . . .'

'Dwi eisiau,' dywedodd. 'Ti'n haeddu fe ar ôl yr holl strach 'na.' Arllwysodd beint iddo fe'i hunan a'i osod ar y bar nesa at fy un i. Daeth allan o du ôl y bar a sefyll wrth fy ochr i.

'Mae'n swnllyd iawn fan hyn,' dywedodd, yn pwyso mlaen fel bod ei wefusau yn agos at fy nghlust. Ro'n i'n gallu teimlo'i anadl.

Edrychodd Ifor arna i am eiliad wrth sipian ei ddiod. Roedd goleuadau'r disgo yn ei droi'n binc, gwyrdd, melyn a glas.

'Ti'n iawn nawr?' gofynnodd. 'Dwed wrtha i am feindio 'musnes os ti moyn, ond sa i'n meddwl bod y boi 'na'n dy siwtio ti o gwbwl. Ro'n i'n poeni ar un adeg ond fe handlest ti fe'n iawn.' Ac yn hanner chwerthin, ychwanegodd, 'Ro't ti'n cŵl iawn, tipyn yn fwy caled na fi.'

Er gwaetha popeth, gwenais. Roedd gwybod bod Ifor wedi bod yn edrych arna i wrth i bedair o ferched ifancach daflu eu hunain ato yn 'y ngwneud i'n hapus.

'Odw, dwi'n iawn,' dywedais. 'Ti'n gwbod shwt wyt ti'n gwneud rhywbeth i fod yn fwy nag yw e yn dy feddwl di, a ti'n siŵr na fyddi di byth yn dod drosto fe. Wedyn mae rhywbeth yn digwydd, fel pìn yn byrstio balŵn, ac yn sydyn iawn mae'r peth ti wedi bod yn poeni amdano wedi diflannu. A phan mae e wedi mynd, ti ddim yn siŵr pam o't ti'n poeni amdano fe yn y lle cyntaf?'

Crychodd Ifor ei dalcen a gwenu ar yr un pryd.

'Na, dwi ddim, a bod yn onest,' dywedodd. Dechreuais chwerthin.

Ar ôl gweld Rhys, sylweddolais mod i'n wahanol. Yn wahanol i sut ro'n i wedi dychmygu fy hunan. Dwi'n gryfach ac yn hapusach nag o'n i wedi meddwl. Dyw'r gorffennol ddim mor bwysig ag o'n i'n ei feddwl. Dwi wedi symud mlaen yn barod ac wedi tyfu lan – heb sylwi hyd yn oed. Mae'n ddoniol, a dweud y gwir. Ro'n i'n swnio dipyn yn fwy pwyllog nag o'n i'n teimlo. Yr unig beth ro'n i eisiau ar y pryd oedd *Bacardi Breezer* a chael siarad ag Ifor. Roedd clywed ei lais yn gwneud i fi deimlo'n hapus.

'Dwi'n falch, Gwen,' dywedodd Ifor. 'Ti'n haeddu bod yn hapus.'

Edrychon ni ar y dawnswyr ynghanol y

llawr. Roedd breichiau Siw fel octopws am wddf Iwan, ac roedd hi'n edrych fel pe bai am ei wasgu yn erbyn y wal agosa gyda'i thafod.

'Ti eisie clywed rhywbeth doniol iawn?' dywedodd Ifor.

Edrychais i fyw ei lygaid gwyrdd.

'Ocê 'de,' dywedais gan wenu.

'Ti'n gwbod pan ddest ti 'ma y noson o'r blaen i gwrdd â John Smith?'

'Dyw hwnna ddim yn ddoniol,' dywedais, er mod yn gwybod ei fod e.

'Na,' a thynnodd Ifor anadl ddofn. 'Beth sy'n ddoniol yw mai fi oedd John Smith.'

Blinciais. Er ei fod yn sefyll mor agos roedd y gerddoriaeth yn rhy uchel ac ro'n i'n dychmygu ei fod e wedi dweud . . .

'Beth?' gofynnais iddo.

'Fi oedd John Smith,' dywedodd eto. Roedd e wir wedi'i ddweud e.

'Dywedodd Siw dy fod ti'n defnyddio'r peth dêtio 'ma ar y We a meddyliais i . . . Wel, dwi wedi bod yn meddwl gofyn i ti fynd mas 'da fi ers sbel. Gofynnais i Siw a oedd hi'n meddwl y byddet ti eisie gwneud. Dywedodd Siw bo' ti ond yn mynd mas 'da bois sy wedi cofrestru ar y wefan 'ma. Mae cyfrifiadur 'dan ni mas yn y cefn ac fe es i ar y we un diwrnod. Fe weles i dy lun di a dy fanylion a . . . wel, rhois i'n enw lawr. Ond wedyn fe feddylies i 'set ti'n gweld fy enw iawn i byddet ti'n meddwl mod i'n uffernol o od am beidio gofyn i ti wyneb yn wyneb.' Edrychodd Ifor ar ei sgidiau cyn edrych arna i eto. 'Felly fe alwes i'n hunan ar ôl peint o gwrw.

'A bod yn onest, Gwen, 'nes i bach o gawlach o bethe. Pan gyrhaeddest ti'r noson honno ro'n i'n gwbod 'sen i'n dweud mai fi oedd John Smith byddwn i wedi sarnu popeth.'

Syllais arno. Allwn i ddim credu beth ro'n i'n glywed. Dylwn i fod wedi teimlo'n grac, ond yn lle hynny ro'n i'n teimlo fel chwerthin.

'Pam wyt ti'n dweud wrtha i nawr, 'te?' gofynnais.

Meddyliodd Ifor am ennyd.

'Achos, er falle bo' ti'n 'y nghasáu i am neud beth nes i, do'n i ddim moyn i ti feddwl bod y bachan heb droi lan,' dywedodd. 'Fel wedes i, dwi moyn i ti fod yn hapus.'

Camodd yn nes ata i nes bod ei fraich yn cyffwrdd â 'mraich i.

'Drycha,' dywedodd. 'Dwi'n gwbod shwt mae fflyrtan 'da merched – mae'n rhan o'n job i. Ond pan mae'n fater o ofyn i fenyw dwi wir yn hoffi i fynd mas 'da fi, sdim siâp arna i. Dwi wastad yn gwneud cawlach o bethe ac yn dweud y pethe anghywir.' Rhoddodd ei beint lawr ac ro'n i'n meddwl ei fod e'n mynd i godi fy llaw, ond wnaeth e ddim. 'Dwi wir yn dy hoffi di, Gwen, a nawr ti siŵr o fod yn meddwl mod i off fy mhen. Ond cyn i fi ddweud wrthot ti am John Smith – ro'n i'n meddwl falle bo' ti'n hoffi fi 'fyd? Ti wastad yn edrych arna i,' dywedodd yn ysgafn.

'Dwi ddim!' protestiais, gan chwerthin.

'Na? O damo,' dywedodd Ifor, gan wenu'n gyfrwys. 'Dwi wedi neud cawlach 'to, 'te.'

Edrychais arno. Roedd e'n jocan ond roedd e hefyd yn edrych yn eitha pryderus.

'Nag wyt ddim,' dywedais, a phan wenodd e arna i aeth rhyw wefr gynnes trwy 'nghorff i gyd.

'Bob tro ti'n dod mewn i'r bar dwi eisie dweud wrthot ti mod i'n dy hoffi di,' dywedodd, gan blygu'i ben yn agos at f'un i. 'Ti'n mynd i gwrdd â'r holl dwpsod 'ma, ac yn dweud wrth y dafarn i gyd fel'se fe'n un jôc fawr, a finne bron â marw eisiau gofyn i ti fynd mas 'da fi, ond o'n i'n ofni gwneud rhag ofn mai fi fydde'r jôc fawr nesa.'

'Ti'n ddoniol iawn,' dywedais. Ro'n i mor hapus, allwn i ddim stopio gwenu fel giât.

'Alla i ddim dy weld ti'n diodde rhagor.

Mae'n hanner y'n lladd i,' dywedodd. 'Felly dwi'n gofyn i ti, wyneb yn wyneb, nawr. Wnei di ddod mas i gael drinc 'da fi ar fy noson rydd, Gwen? Dim fan hyn – rhywle tawel lle gallwn ni siarad. Wnei di fynd mas ar ddêt 'da fi? 'Na fe, dwi wedi'i ddweud e.'

Am yr ail waith y noson honno roedd e fel petai holl sŵn y dafarn wedi mynd yn dawel. Do'n i ddim yn gallu clywed unrhyw beth ond 'y nghalon yn curo'n wyllt yn fy nghlustiau, ac yna sylweddolais mod i'n chwerthin.

'Ym . . .' dywedais, gan esgus meddwl am y peth.

'Gwen!' protestiodd Ifor.

'Ocê! Ocê!,' dywedais, ac yna'n dawelach, 'wrth gwrs y gwna i. Mae hyn mor ddoniol.'

'Pam?' gofynnodd.

Stopiais chwerthin.

'Achos mod i'n dy hoffi di 'fyd,' dywedais, 'ers oesoedd.'

Edrychodd Ifor a finne ar ein gilydd am eiliad yn rhagor, fel 'sen ni newydd gwrdd â'n gilydd. Cydiodd yn fy llaw a theimlais wres ei fysedd yn cyffwrdd fy rhai i.

'Alla i gusanu ti nawr 'te?' gofynnodd.

Wnes i ddim ateb, dim ond cymryd cam ymlaen a'i gusanu fe. Aeth fy mreichiau o gwmpas ei wddf a theimlo ei ddwylo rownd fy nghanol a'i gusanu fe. Dwi'n meddwl bod rhai o staff y bar wedi gweiddi rhywbeth.

Pan stopiodd y ddau ohonon ni gusanu, edrychodd Ifor arna i.

'Ti'n fenyw sbesial, ti'n gwbod,' dywedodd. 'Ffantastig.'

'Diolch,' dywedais. Roedd e'n swnio fel pe bai e'n wir pan oedd Ifor yn dweud hynny.

'Sa i eisie stopio edrych arnat ti, na dy gyffwrdd di na dy gusanu di,' dywedodd gan wenu, ei lais yn isel. 'Ond mae'n rhaid i fi fynd nôl i weithio. Galla i gerdded gartre 'da ti nes mlaen?' Edrychodd i fyw fy llygaid. Allai dim yn y byd fod yn well na cherdded gartre gydag Ifor yn dal fy llaw, yn siarad ac yn dweud jôcs, yn gwneud i fi chwerthin ac yn aros i roi cusan i mi bob dwy funud. Achos ro'n i'n gwybod mai fel na y byddai pethe gyda fe.

'Cei,' dywedais, a gwenu wrth ei weld yn cerdded nôl tu ôl i'r bar ac edrych arna i yr un pryd.

Rhuthrodd Siw a Nia ata i a thaflu eu breichiau o gwmpas 'y ngwddf.

'Mwnci bach slei wyt ti!' dywedodd Nia.

'Ie, a ta beth,' dywedodd Siw, gan esgus bod yn ddifrifol, 'wedest ti wrtha i gynne dy fod ti'n mynd i anghofio am ddynion o hyn mlaen!'

Edrychais arni a chodi fy sgwyddau.

'Paid bod yn ddwl,' dywedais. 'Dim ond jocan o'n i!'

9/06 Rly B